L'HERBE D'OR

ŒUVRES DU MÊME AUTEUR

Le Cheval d'Orgueil, éd. Plon, coll. Terre Humaine.
Les Autres et les Miens, éd. Plon.
Au Pays du Cheval d'Orgueil, avec les images d'Edouard Boubat, éd. Plon.

Théâtre, éd. Galilée, Paris.
    Tome I : Le Grand Valet — La Femme de Paille — Le Tracteur.
    Tome II : Yseult Seconde — Le Roi Kado — Le Jeu de Gradlon.
    Tome III : Compère Jakou et autres contes.

Poésie (éd. bilingues breton-français).
    Manoir Secret (éd. Silvaire, Paris).
    La Pierre Noire (Emgleo Breiz, Brest).
    Le Passe-Vie (Emgleo Breiz, Brest).

La sagesse de la terre, entretiens radiophoniques avec Jean Markale, éd. Payot.
L'Esprit du Rivage, légendes de la mer, éd. Gallimard, folio-Junior.

PIERRE JAKEZ HÉLIAS

L'HERBE D'OR

roman

JULLIARD
8, rue Garancière
PARIS

La loi du 11 mars 1957 n'autorisant, aux termes des alinéas 2 et 3 de l'Article 41, d'une part, que les *copies ou reproductions strictement réservées à l'usage privé du copiste et non destinées à une utilisation collective*, et, d'autre part, que les analyses et les courtes citations dans un but d'exemple et d'illustration, *toute représentation ou reproduction intégrale ou partielle, faite sans le consentement de l'auteur ou de ses ayants droit ou ayants cause, est illicite* (alinéa 1er de l'Article 40). Cettre représentation ou reproduction, par quelque procédé que ce soit, constituerait donc une contrefaçon par les Articles 425 et suivants du Code Pénal.

© Julliard, 1982

ISBN 2-260-00301-X

An aour yeotenn a zo falhet
Brumenni raktal e-neus grêt
Argard!

L'herbe d'or a été fauchée
La brume aussitôt s'est levée
Bataille!

BARZAZ BREIZ (1839)

Il y a trois sortes d'hommes : les vivants, les morts et ceux qui vont sur la mer.

Platon

I

Allô, oui ! Ils ont rétabli le téléphone. Ici, c'est
Jean Bourdon, du poste de douane de Logan. Oui,
monsieur l'administrateur. Vous allez un peu mieux ?
Non, ce n'est pas de chance pour vous d'être retenu
au lit par la fièvre juste en ces jours de catastrophe.
Non, non, surtout n'allez pas vous aigrir le sang
parce que vous n'êtes pas capable de tenir debout sur
vos jambes. On vous connaît bien, allez ! Soignez-
vous. Comment ? Demain le préfet et peut-être le
ministre ? Alors on les verra...

Non, toujours pas de nouvelles de l'*Herbe d'Or*.
Aucune, de nulle part. Il est encore venu plusieurs
épaves à la côte. Oui, arrachées apparemment à des
vapeurs en difficulté au grand large. Mais pas un seul
morceau de l'*Herbe d'Or*. Vous pensez si on le
connaît, ce bateau. C'est le plus ancien de la flottille.
Un peu trop ancien même. Un bateau creux, sans
moteur. Pierre Goazcoz n'en voulait pas...

Comment ? Ce que disent les marins ? Vous savez,
monsieur l'administrateur, dans ces cas-là, ils commencent des phrases qu'ils ne finissent pas. Seulement, ce matin encore, quand ils parlaient de Pierre
Goazcoz, le patron de l'*Herbe d'Or*, ils disaient : « Le
vieux est un fin renard. Il prendra tout son temps,

mais il ramènera son bateau à quai. » Et tout à
l'heure, sur le port, j'ai entendu plusieurs fois :
« L'*Herbe d'Or*, c'était ceci, c'était cela. » C'était, ce
n'est plus, quoi ! A un moment, quelques enfants sont
venus traîner entre les jambes des hommes. On les a
chassés à grands coups de casquettes et à grands
revers de main, comme pour assommer des chiens de
mer. Quand un marin devient méchant avec les
gosses, c'est mauvais signe. Vous comprenez.

C'était un sacré raz de marée, il faut dire. Pire
qu'en 96, racontent les vieux. J'en ai encore la tête
qui sonne. Heureusement que toute la flottille était
restée au port. Toute la flottille sauf l'*Herbe d'Or* de
Pierre Goazcoz. Mais celui-là, pour savoir ce qu'il a
dans le crâne...

Les dégâts ? On ne sait pas encore. Beaucoup de
dommages dans les maisons du port et même dans les
villages. L'eau salée a tout envahi. On dit qu'elle est
remontée à plus d'une demi-lieue dans les terres.
Pour les bateaux, plusieurs dizaines sont plus ou
moins démolis, certains irréparables, c'est sûr. Pensez donc, les vagues en ont si bien soulevé quelques-
uns qu'on les retrouve échoués à deux, trois cents
mètres de la côte, en plein champ. Terrible.

Vous dites ? Si on le voyait venir, le coup de
torchon ? Bien sûr. C'est pourquoi les hommes ne
sont pas sortis. Tous les signes avant-coureurs nous
les connaissons par cœur et dans l'ordre. Mais
personne n'aurait cru assister à un pareil déchaînement. Et pourtant — vous allez croire que je suis
drôle, monsieur l'administrateur — quand le temps
s'est dérangé, les éléments n'étaient pas seulement en
colère comme d'habitude, ils étaient malades. A
l'agonie qu'ils étaient. Je ne peux pas vous expliquer.
Une demi-nuit et un jour entier sans reprendre
haleine. L'enfer, quoi !

Et voilà près d'une heure que les vents sont tombés d'un seul coup. Ils n'ont pas remonté vers le nord, ils n'ont pas molli peu à peu. Ils sont morts ou ils attendent quelque chose qui ne dépend pas d'eux. Et tenez, pendant que je vous parle, je regarde par le trou de la porte — il n'y a plus de porte, elle a été crevée par les déferlements, j'ai du sable jusqu'aux chevilles — pendant que je vous parle, je regarde et le diable me patafiole si la brume de mer n'étouffe pas tout dans le quart d'heure qui va suivre. Je ne l'ai jamais vue monter si vite ni si épaisse. Un autre raz de marée, mais de crasse. Ce n'est pas ordinaire après tant d'heures de folie...

De la brume, oui. Cela vous étonne, hein, vous qui connaissez bien la santé et les maladies du temps qu'il fait par ici. De la brume à ne pas reconnaître sa main gauche de la droite. Ce coup-là les gens vont perdre courage tout à fait. Pourquoi ? Tant que le vent cogne, monsieur l'administrateur, tant que l'océan se fâche, il y a du bruit, de la lutte, ce n'est pas fini. Mais quand il tombe et que cette fumée sans feu envahit tout dans le silence, cela vous met la mort dans l'âme. Il vaudrait cent fois mieux qu'il neige comme sur les cartes postales. La neige, au moins, par chez nous, c'est plus franc.

Tenez, voilà le vieux Nonna qui passe. On dirait bien que la brume le chasse devant elle. Ou plutôt qu'il veut l'empêcher d'avancer avec sa vieille échine. C'est le compère de Pierre Goazcoz, vous savez. Depuis les premières lueurs du matin il n'a guère bougé de la cale — de ce qu'il en reste car une bonne moitié a été mise en pièces —, fouillant l'horizon de ses yeux rouges. Et voilà qu'il amène son pavillon, lui aussi. Il va se cacher dans sa maison, probable, avec son chagrin. Pauvre vieux Nonna ! S'il a fini d'attendre, c'est que personne n'attend plus. Vous pouvez vous préparer à tirer un trait sur le rôle de l'*Herbe d'Or*. Et que Dieu pardonne aux âmes ! Combien ils étaient à bord ? Quatre hommes et le mousse, quatre hommes de première classe, tout le monde vous le dira, et un petit qui promettait. Enfin !

Bonsoir, monsieur l'administrateur, et tâchez de mettre votre fièvre à la porte. Il y a du travail qui vous attend.

Et Jean Bourdon raccroche le téléphone que sa mère appelle toujours « l'appareil à parler contre le mur ». Sa mère, Corentine Goanec, n'aime pas beaucoup cet engin-là bien qu'elle se hausse volontiers du menton à cause d'un fils douanier et d'une fille secrétaire de mairie qui savent tous les deux s'en servir. C'est que le téléphone, pour les gens ordinaires, ne sonne jamais que pour les mauvaises nouvelles. Comme ce papier bleu qu'on appelle télégramme et qui inquiète le facteur lui-même quand d'aventure il n'en connaît pas le contenu. Corentine a bien recommandé à ses autres enfants qui sont au loin de ne jamais faire usage de ce papier bleu avec elle. Gare à vous si vous le faites ! Votre mère a le cœur solide, mais elle n'aime pas quand il saute. Et puis elle a toujours de quoi vous recevoir comme il faut quand vous venez sans prévenir. Mais une lettre de temps en temps fait du bien parce qu'elle est écrite de votre main propre. Je ne connais pas l'écriture, je vais me la faire lire par la fille de mon voisin et tout le monde est au courant, comme il convient quand on n'a rien à cacher. Si c'est de la honte, gardez-la pour vous. Quant aux malheurs qui peuvent vous arriver, j'en serais avertie avant même qu'ils n'arrivent. Vous savez comment je suis.

Voilà comment elle est, Corentine Goanec. Tiens, se dit son fils, elle n'a pas soufflé mot de l'*Herbe d'Or* depuis qu'il est en perdition dans la tempête. Le patron Pierre Goazcoz est pourtant son cousin. Seulement issu de germain, mais quand même. D'ailleurs, elle est souvent avertie par un *intersigne* lorsque disparaît quelqu'un de sa parenté ou de sa compagnie. Si elle se tait, c'est peut-être bien que l'*Herbe d'Or* tient encore sur l'eau quelque part avec Pierre Goazcoz, Alain Douguet, Corentin Roparz, Yann Quéré et le mousse Herri dont c'était la première aventure à la recherche du poisson. S'il s'en tire, celui-là, il pourra se vanter d'avoir essuyé le plus rude baptême qui soit. De quoi le faire aller se cacher dans un bureau s'il n'a pas le cœur salé. Il était toujours premier à l'école, ce petit, il aurait pu avoir le brevet et un bon poste à terre. Mais cela faisait déjà quelque temps qu'il tournait autour de Pierre Goazcoz. Il a fini par se faire prendre à ses filets. Comme les trois autres et ceux d'avant. Et pas moyen de savoir exactement pourquoi. Aucun homme de l'*Herbe d'Or* n'a jamais desserré les dents quand les autres pêcheurs se hasardaient à parler du bateau et de son maître. Il est vrai qu'aucun d'entre eux n'était bavard, pas même l'enfant dont on entendait l'harmonica plus souvent que la voix. Mais allez donc comprendre ce que raconte un harmonica ! Peut-être ceux de l'*Herbe d'Or* avaient-ils été choisis, peut-être s'étaient-ils choisis eux-mêmes pour ce pouvoir qu'ils avaient de ne jamais se livrer. Se parlaient-ils en mer autrement que pour la manœuvre ? Y avait-il, réservé aux initiés, un secret de l'*Herbe d'Or ?* A-t-on idée d'appeler un bateau de pêche d'un nom pareil ! Un nom de mauvais augure, avait dit une fois Corentine Goanec qui n'avait jamais voulu le faire passer par sa bouche. Pourquoi de mauvais augure, elle n'avait pas daigné s'en expliquer. Mais aujourd'hui, elle était peut-être la seule à ne pas s'inquiéter du sort de son

cousin, elle qui entrait presque en transe quand il y
avait du drame dans l'air.

Le douanier s'apprête à fermer le bureau. C'est un
vieux bâtiment du temps des rois couronnés, une
sorte de coffre tout en granit, y compris les dalles
plates qui composent le toit. On dirait d'un porche
qui aurait perdu son église s'il n'y avait, dans le flanc
de la muraille qui donne sur la rue, les deux
ouvertures de la porte basse et d'un fenestron à
quatre carreaux brouillés autour d'une croisée de
bois. L'intérieur est une pièce unique où il vaut
mieux ne pas être trop grand si l'on veut tenir debout
à l'aise. Le temps qu'il fait dehors, les gens qui
passent, les quatre carreaux en font d'étonnantes
images pour l'occupant du lieu. Miraculeusement, ils
ont tenu bon alors que les coups de boutoir de la
marée ont crevé la lourde porte en chêne. Au reste,
cette porte est habituellement ouverte sur le quai tant
qu'il fait jour. Un douanier doit avoir l'œil. Quand la
porte est fermée, par grande pluie ou grand vent, les
amis qui passent dehors engagent quelquefois les
épaules dans l'embrasure du fenestron. Leur visage
déformé par les défauts des vitres passe de la misère à
la cruauté et de l'homme à l'animal tandis qu'ils
cherchent le meilleur endroit pour apercevoir Jean
Bourdon assis à sa table, pour vérifier s'il est là
devant ses papiers avant d'entrer lui dire bonjour
s'ils ont le temps. Quand ils l'ont trouvé, il voit leur
œil tel qu'il est, le gauche ou le droit grand ouvert, et
il les reconnaît avant même qu'ils n'aient frappé à la
vitre avec un doigt ou deux. Chacun d'eux a sa
manière de frapper. Le signal des doigts confirme
l'œil. Mais entre-temps, Jean Bourdon s'est bâti une
histoire à la couleur de ses songes avec les apparitions
confuses du fenestron. Il aime bien se faire du
cinéma, Jean Bourdon. Et il est tout heureux que la

tempête n'ait pas brisé ses quatre vitres déformantes. On lui en aurait remis d'autres, toutes neuves et sans défaut, au travers desquelles les hommes et les choses se seraient montrés seulement comme ils sont. Déjà qu'on parle de construire un autre poste, moderne, avec plusieurs pièces et des couloirs, des fenêtres claires sur trois côtés, oui monsieur, pas un de moins, et des appareils à chauffer pour l'hiver. Ce sera mieux pour tout le monde, paraît-il. Bien, mais comment fera-t-il pour se nourrir la tête en pareil lieu, Jean Bourdon ?

Soudain, le téléphone se met à sonner. Une curieuse sonnerie, claire, argentine, avec des grelottements et des notes séparées qui font tressaillir l'homme de la douane sur le point de rêver à un galon d'argent de plus pour se consoler de l'adieu au fenestron-lanterne magique. Le voilà redevenu enfant de chœur, cahotant à pleins sabots dans les chemins de terre et secouant sa clochette à six pas devant un prêtre qui se hâte avec l'Extrême-Onction dans un sac noir. Jean Bourdon hésite à décrocher l'appareil quand celui-ci se décroche lui-même, se balance au bout de son fil. La sonnerie s'éteint du coup. Le douanier empoigne l'appareil, l'approche de son oreille, avec précaution. Tendu de pied en cap il écoute. Rien. « Ici le poste de douane de Logan. » Pas de réponse. Jean Bourdon est mal à l'aise. Ses vêtements le grattent sur tout le corps. Il émet un fort juron pour se libérer d'une angoisse en avalant un bon coup de salive l'instant d'après. Qu'est-ce que c'est que cette histoire ! La mécanique va-t-elle se mettre à délirer maintenant que les éléments ont fait la paix ? Il y a peut-être des réparations sur la ligne après ce cataclysme. Ou des vérifications. Mais cet appareil, je l'avais pourtant bien remis sur son crochet. Comment a-t-il fait pour tomber ? Jean

Bourdon insiste. « Allô ! Ici le poste de douane de Logan. Vous m'entendez ? »

Derrière lui s'élève une voix ferme, catégorique.

— C'est l'*Herbe d'Or* qui appelle. Je savais bien qu'il n'était pas allé au fond.

Dans l'encadrement de la porte il y a le vieux Nonna, immobile, tassé dans son caban, les poings au fond des poches de son pantalon rapiécé. Tel est son visage défait qu'il a l'air de rire, le malheureux. Et peut-être rit-il, après tout. Jean Bourdon s'ébahit du nombre de dents qui restent dans la bouche du vieux. Il ne les avait jamais vues. On dirait bien qu'il n'en manque pas une. C'est après, seulement, qu'il en vient à comprendre le sens de ce qu'il a entendu et qui est plus étonnant encore que la révélation de la mâchoire.

— Il n'y avait personne à l'autre bout, Ton Nonna.

— Il y avait l'*Herbe d'Or,* je vous dis. Les bateaux ne parlent pas, Jean Bourdon. Ils n'ont pas besoin de parler. Ils ont d'autres façons de donner de leurs nouvelles. Vous avez bien entendu.

— Mais Pierre Goazcoz...

— Eh bien quoi, Pierre Goazcoz ! Qu'est-ce qu'il peut faire, Pierre Goazcoz ? Il a beau être plus malin que vous et moi, il n'est pas capable de se faire entendre de si loin avec les moyens des hommes. Sur l'*Herbe d'Or* il n'y a aucune mécanique pour parler à travers les airs, vous savez bien.

— De si loin ? Où croyez-vous qu'il est ?

— Quelque part en mer, dans le sud je suppose. Il a mis à la cape, il a cédé de son mieux à la tempête et maintenant il attend le vent pour revenir.

— Possible, Ton Nonna. Quand le téléphone a sonné, j'ai bien cru que c'était lui qui appelait. Il aurait pu se mettre à l'abri dans un port, à Concarneau ou Lorient.

— Il aurait pu. N'importe quel autre marin aurait tenté de le faire, moi le premier. Mais lui, je le connais bien, il n'a pas voulu capituler. Il est resté sur le dos de la bête. Il y est toujours. Il saura revenir, croyez-moi hardiment. C'est un animal de mer, cet homme-là.

— Et les autres ?

— Les autres ont choisi d'aller avec lui en sachant ce qu'il est, du moins en croyant le savoir, ce qui est la même chose. Tous les autres, y compris le mousse que sa mère aurait préféré envoyer couper la queue du diable avec un canif plutôt que de le voir monter sur l'*Herbe d'Or*. Il n'y a rien eu à faire, il serait mort de dépit. Les autres ne se ressemblent pas entre eux, ils n'obéissent pas aux mêmes raisons, mais aucun d'entre eux n'irait en mer sur un autre bateau que l'*Herbe d'Or* et avec un autre patron que Pierre Goazcoz. Quand ils mettront leur sac à terre, ceux-là, ce sera pour y rester. Parce que, voulez-vous que je vous dise, Jean Bourdon, ceux de l'*Herbe d'Or* ne sont pas de vrais marins pêcheurs bien qu'ils connaissent parfaitement le métier. La pêche, pour eux, n'est qu'un prétexte. Lorsqu'ils vivent parmi nous, ils font semblant d'être des gens très ordinaires, mais quant à savoir ce qu'ils ont dans la tête, courez toujours ! Si je n'étais pas un aussi pauvre homme que je suis, je croirais bien qu'ils sont ensorcelés par Pierre Goazcoz et que lui-même est ensorcelé par son bateau.

— Allons donc ! Qu'est-ce qui vous prend ! Il n'y a pas plus raisonnable que vous, d'habitude. Et si quelqu'un connaît Pierre Goazcoz, c'est bien vous. On vous voit toujours ensemble quand il est au port.

— Justement. C'est parce qu'il n'arrête pas de me

poser des questions sur ma vie de gardien de phare. Il voudrait que je lui dise certaines choses et moi je ne comprends pas ce qu'il me demande. Alors, peut-être pour me mettre sur la voie, il me parle de son *Herbe d'Or*. A force de l'écouter, je ne peux pas vous expliquer, j'en arrive à croire que ce bateau est un être vivant.

— Allons nous coucher, Ton Nonna, et essayons de dormir. Nous avons tous la tête un peu dérangée après ce que nous avons vu et entendu depuis la nuit dernière et qui aurait eu de quoi faire perdre la boule à de plus forts que nous. Je vais rentrer chez moi. Vous savez que tout a été dévasté dans ma boutique.

— Oui, je sais, on m'a dit. Vous avez été réveillé à trois heures du matin par les cris de vos enfants qui dormaient au rez-de-chaussée. Quand vous êtes descendu avec votre femme, leurs lits flottaient sur la mer. Il vous a fallu glisser dans l'eau jusqu'aux reins pour les tirer de là. Vous aurez du mal et de la dépense à tout remettre en état. Mais cela n'enlève rien à ce que j'ai dit : l'*Herbe d'Or* est quelque chose de vivant, je ne sais pas quoi. Ecoutez, Jean Bourdon, si par hasard il ne revenait pas malgré le signe qu'il a fait, je ne serais pas surpris si on le rencontrait dans quelque temps au large en bateau fantôme et sans le moindre équipage à son bord. Là-dessus je m'en vais plus loin. Salut à vous.

Le vieux recule sans cesser de faire face au douanier. La brume le délave pour en faire une silhouette pâle avant de le disperser en elle. Jean Bourdon est tout surpris d'avoir besoin de s'asseoir. Ses genoux ne le portent plus. Il a suffi qu'il écoute un moment le radotage de Ton Nonna pour que toute la peur qu'il avait tenue en respect pendant qu'il luttait avec les autres contre le raz de marée lui déferle dessus d'un seul coup. A peine a-t-il repris ses esprits que le téléphone se met à sonner. Serait-ce un autre signal émis de l'*Herbe d'Or* par des réseaux impénétrables ? Jean Bourdon se lève comme il peut, décroche le téléphone et aussitôt se soulage d'un énorme soupir. C'est la préfecture qui appelle avec une voix de femme. La femme en question doit être interloquée d'entendre, venant d'un petit port ravagé par un cataclysme marin, une voix d'animateur de noces et banquets qui profère sur le mode plaisant : ici le poste de douane de Logan. Jean Bourdon à votre service. Ce Jean Bourdon manque un peu de tenue, surtout pour un fonctionnaire, estime la demoiselle. Et elle prend son ton le plus sévère pour lui annoncer le préfet en ligne. Mais un préfet peut-il impressionner un simple douanier qui redoutait, l'instant d'avant, de recevoir une communication de l'au-delà ?

Nonna s'enfonce dans la brume sans but. Il est plus facile de supporter l'anxiété quand on marche. Du reste, le vieux fait confiance à son instinct pour aller où il faut. Il se réjouit de constater que ses pas l'emmènent loin de la grève du sud-ouest, là où viennent s'échouer habituellement, ensevelis dans des rouleaux de goémon, les cadavres des naufragés. Ce serait de bon augure s'il n'y avait ce silence qui a tout dévoré à mesure que montait la crasse. Il est si énorme que le balai du phare, tout là-haut, beaucoup plus haut que d'habitude, à chaque fois qu'il rame du côté de la terre, fait entendre comme un halètement de bête. Quel est donc ce monde étrange où la lumière fait du bruit ? Ce n'est pas la première nuit, certes non, que Nonna s'y trouve pris. Mais d'habitude il ne percevait pas le souffle du silence. Il y avait toujours une corne de brume qui luttait quelque part contre l'anéantissement, qui aidait de son mieux les puissantes lanternes où il a veillé si longtemps et dont il sait, depuis qu'il est descendu pour de bon à terre, qu'elles sont affreusement dérisoires quand l'autre monde entreprend d'envahir celui-ci. Il n'entend plus ses pas, mais il s'arrête pour se faire l'oreille plus fine. Rien ne corne plus sur la terre. S'élève en lui la voix du recteur au catéchisme parlant des Limbes. Les Limbes, il est dedans, tout baptisé qu'il soit. Les Limbes ne sont pas l'Enfer, mais son vestibule muet. L'Enfer, il en sort.

La nuit avant celle-ci, vers les trois heures, l'océan s'est fâché. On attendait qu'il se fâche, on est habitué de père en fils à ses colères, mais une telle fureur n'avait pas été vue depuis 96, quand le sémaphore fut inondé jusqu'au premier étage, toute la flottille coulée dans le port ou brisée à la côte, sans compter les dégâts aux maisons. La marmite du Raz-de-Sein s'était mise à bouillonner si fort et si haut qu'elle a crevé la lanterne du phare de la Vieille. Nonna s'en souvient. Mais hier, devant Logan, les vagues se sont gonflées jusqu'à la hauteur d'un deuxième étage pour s'affaler sur le port et se répandre jusqu'aux villages de l'arrière-pays. Leurs lignes de collines fumantes montaient à l'assaut de la terre sous un ciel éclairé d'une lueur diffuse, venue on ne sait d'où, aussi blême que la chair des morts. Dans un bruit de tonnerre, elles ont écrasé les toits les plus proches, enfoncé les portes et les fenêtres des maisons du quai. Entre leurs coups de bélier, l'on entendait les cris de détresse des pauvres gens, échappés à grand-peine de leur logis avec leurs enfants demi nus, et qui s'évertuaient, dans l'eau jusqu'aux cuisses, à gagner le refuge des rares mamelons élevés de quelques mètres au-dessus du niveau des grandes marées. Et, chose étonnante, pas un souffle de vent. Quelle puissance

inconnue pouvait bien baratter cette apocalypse ! Dès
la première heure de furie, toutes les barques à
l'amarre avaient été soulevées comme des fétus par
les masses liquides, transportées sur les crêtes mouvantes jusqu'au mur d'une usine de conserves qui
avait tenu assez bon pour les disloquer en tas au
nombre de trente ou quarante, tandis qu'un nombre
égal d'entre elles remontaient les ruelles du port avec
le flot pour aller s'échouer dans les cours ou se
coincer dans les portes béantes. D'énormes rochers
que l'on avait toujours connus fermement assis au
bord de la grève seront retrouvés à plus de cinquante
mètres de leurs sièges, ayant labouré si profondément
la terre dans leur course qu'il serait possible de les
ramener sans faute à leur juste place si l'on avait les
moyens de le faire et du temps à perdre.

Quand la lueur d'enfer qui éclairait les masses
d'eau gonflées par on ne sait quel monstrueux levain
fut progressivement remplacée par un jour souffrant,
il y eut une accalmie. L'océan grondait toujours aussi
fort mais semblait vouloir ravaler une partie de ses
eaux. L'autre monde avait-il perdu la partie ou
rassemblait-il ses forces obscures pour en finir une
fois pour toutes avec cette langue de terre à peine
émergée dont les occupants le défiaient depuis si
longtemps ? Maintenant les enfants en bas âge et les
vieillards sans force, mis à l'abri sur les médiocres
hauteurs vers l'est, contemplaient dans l'angoisse un
Logan transformé en marécage où s'affairait toute
une population valide. Par une sorte de miracle dont
on parlera longtemps, aucune vie humaine n'avait
été perdue, à moins que l'*Herbe d'Or* qui avait
appareillé une heure avant le déchaînement... On
verrait plus tard. Plus tard viendraient peut-être les
lamentations, ce n'était pas sûr. En tout cas, il n'était
pas question de se réfugier dans les terres, rassuran-

tes sans doute pour les coupeurs de vers, mais totalement étrangères pour des cœurs salés qui s'en voudraient de déchoir. Ils étaient de la côte, certains arrivés seulement depuis une génération ou deux, à la côte ils resteraient tant que la côte serait là. Il faudrait bien que l'océan s'arrange de leur présence obstinée ou qu'il les engloutisse jusqu'au dernier. Pour le moment, presque sans un mot, mais avec diligence, ils faisaient ce qu'il y avait à faire. Ils montaient à l'étage tout ce qu'un retour des eaux pouvait abîmer ou emporter. A grand renfort de râteaux et de balais, ils chassaient dehors le sable pour retrouver la terre battue. Ils remontaient les portes, bouchaient les fenêtres, épontillaient les plafonds qui avaient été assaillis par le haut, procédaient au ménage extraordinaire d'après les révolutions. Mais auparavant chacun était parti à la recherche de sa barque, l'avait retrouvée dans l'amas des autres, contre le mur de l'usine, dessus ou dessous, en piteux état, ou échouée dans les sillons à légumes sans trop de mal, ou retournée, faisant le gros dos dans quelque ruelle, la quille douteuse à revoir de près. Le plus chanceux avait été Amédée Larnicol, le marin-cabaretier, dont le « *Steredenn Vor* » était venu accoster gentiment contre sa maison du quai, tout nu mais sans dommage au gros œuvre. Et Amédée, machinalement, avait amarré sa barque à un anneau de sa façade qui servait habituellement pour attacher les chevaux traîneurs de charrette. Ridicule, mais on attendra une bonne année avant d'en rire.

Ton Nonna ne dormait pas quand la terrible aubade avait commencé. Il habitait avec sa sœur une petite maison située sur l'arrière-port, à la limite des champs cultivés. La sœur avait perdu en mer son mari et son fils unique. Depuis, elle s'occupait d'une vache et de deux pièces de terre qui lui venaient de

ses parents. On ne l'avait plus jamais revue sur le
quai du port où elle habitait autrefois. Le dimanche,
elle faisait une lieue à pied pour aller entendre la
messe à Plouvily, le bourg paysan. Tranquillement.
Cette femme n'avait pas de rancœur, elle avait digéré
ses deuils, mais elle en avait fini avec le côté de l'eau.
Quoique bourrue, elle recevait fort bien Pierre
Goazcoz, l'ami de son frère, vieux garçon comme lui.
Et précisément, la veille, le patron de l'*Herbe d'Or*
était venu passer un bout de soirée chez eux comme il
faisait souvent. Les deux hommes, assez avares de
leurs paroles, avaient échangé des réflexions sur la
figure du temps. Une inquiétude était dans l'air sous
l'apparente bonace qui ne trompait pas les gens de
mer. J'espère que vous ne sortirez pas cette nuit,
avait dit Ton Nonna. Et sa sœur, qui ne faisait jamais
entendre sa voix, avait renchéri : il ne faut pas qu'il
sorte. Pierre Goazcoz avait fait un geste évasif avant
de se retirer plus tôt que d'habitude. Et les deux
autres avaient gagné leurs lits.

Vers une heure du matin, Ton Nonna, qui n'arrivait pas à trouver le sommeil, avait allumé sa lampe
Pigeon pour regarder sa montre. Et il avait beau la
regarder, il était incapable de lire l'heure qui était
pourtant clairement indiquée. Avant même de savoir
ce qu'il allait faire, il avait hissé son pantalon et passé
son gilet de laine. Avec mille précautions pour ne pas
réveiller sa sœur, il avait descendu l'escalier, décro-
ché son caban et sa casquette dans le couloir. Il
soulevait le cliquet de la porte quand la veuve était
apparue en camisole sur le palier, portant haut une
bougie allumée. Laissez-le donc aller, dit-elle. Il n'y a
rien à faire contre cet homme. Et elle rentra dans sa
chambre.

Quand Ton Nonna, le cœur battant, arriva sur le
port, ce fut pour voir l'*Herbe d'Or* qui doublait le

môle, toutes voiles montées. Tête de pieu ! cria-t-il dans la lueur froide qui émanait de la mer presque figée. Tête de pieu ! Tête de pieu ! Trois fois. Il crut voir des bras se lever dans la barque. Quelques chiens aboyèrent, sur le port, à une lune qui n'était pas là. Paix, la canaille ! gueula le vieux. Laissez-les aller où ils veulent. Les chiens se turent, mais de faibles crachements lumineux éclatèrent çà et là. Des hommes, non pas ensemble, mais chacun de son côté, battaient le briquet pour allumer des pipes ou des cigarettes. Il n'était pas seul à regarder partir l'*Herbe d'Or.*

Il ne pouvait se résoudre à rentrer chez lui. Pendant combien de temps traîna-t-il au hasard ses chausses à travers le port, s'arrêtant quelquefois entre deux éclats du phare pour revenir sur ses pas comme s'il s'était ravisé ? L'homme était seulement désemparé. Il y avait quelque chose de détraqué dans le ciel, jamais la terre n'avait été aussi étroite sous lui. Et ce foutu océan qui faisait semblant d'être hors jeu. Tout de même, Nonna finit par regagner sa maison, mais à regret. Il y avait un rai de lumière tremblante sous la porte de la chambre de sa sœur. Il s'arrêta une seconde, se demandant s'il devait entrer pour lui parler ou seulement lui faire un signe désolé qu'elle traduirait par tête de pieu. Puis il se dit que c'était inutile, qu'elle savait déjà.

En ouvrant sa porte pour se recoucher, il entendit un grondement ponctué d'explosions inégales. Les cloisons de bois gémirent et les murs eux-mêmes accusèrent les coups puisque sa photo en quartier-maître de la Royale, accrochée à un clou au-dessus de la table de nuit, tomba sur la lampe Pigeon dont elle cassa le verre sans éteindre la flamme, ce que l'incorrigible Nonna ne put s'empêcher d'interpréter comme un signe favorable. Soudain, la fenêtre s'ou-

vrit sous la déflagration d'un bruit énorme qui avait
des accents de clameur humaine. Ça y est, se dit
Nonna, voilà que ça crève. Il va y avoir du dur. Là-
dessus, sa sœur jaillit de chez elle, toujours en
camisole et la face méchante :
— Eh bien, qu'attendez-vous pour aller aider,
fainéant que vous êtes. Vous n'avez pas honte !
Il y alla comme il était tandis qu'elle s'affublait de
ses plus vieilles nippes pour y aller aussi. Le souffle
court, dans l'eau jusqu'aux genoux dès qu'il eut
descendu les trois marches qui menaient du chemin à
sa courette, il remonta le flot jusqu'au port où régnait
un tumulte indescriptible. Avant de s'occuper du
reste, on repliait vers les îlots secs de l'intérieur les
enfants et les invalides entassés sur des charrettes à
bras. Quand il vit la hauteur des vagues qui arrivaient du sud-ouest, il crut à la fin du monde. Et
pourtant, lui dit-on, elles déferlaient déjà moins dur
que dans le premier quart d'heure qui, pour les
assistants, était à devenir fou. Comprenne qui
pourra. Des hommes au front saignant, brandissant
des lampes-tempête, hurlaient des ordres qu'ils
étaient les seuls à comprendre. Un clairon d'alarme
s'époumonait du côté de l'abri du matériel d'incendie
dont les murs s'étaient écroulés, libérant le char
rouge qui vaguait par les rues inondées en se cognant
aux façades tandis que la pompe dévidait ses boyaux.
Le vieux Nonna était trempé jusqu'aux os. Il était
tombé plusieurs fois en aidant comme il pouvait, où il
pouvait. Il se maudissait d'avoir son âge. De temps
en temps et de plus en plus, il devait reprendre
haleine contre quelque mur à l'abri de la tourmente.
Hébété, il regardait dériver dans les canaux des
casiers, des débris de clapiers et de poulaillers, des
morceaux de mâts, des espars de toute sorte, le pétrin

d'une boulangerie, redoutant de voir flotter des cadavres. Cela lui fut épargné.

Ce qu'il y avait de jour était levé depuis longtemps quand il rentra chez lui à travers un bout de lande dont les ajoncs étaient coiffés de filets déchirés. Il n'en pouvait plus. Sa maison était à peu près au sec, remplie d'enfants que sa sœur réconfortait de son mieux devant le feu avec des paroles d'apaisement et des boissons chaudes. Les uns pleuraient silencieusement, les autres hoquetaient, les yeux secs, graines de pêcheurs. Nonna se sécha comme il put, changea de vêtements. Il tira du buffet la bouteille de rhum achetée pour les fêtes du bout de l'an. Un grog bien nourri lui ragaillardit le corps, mais la tête et le cœur demeuraient navrés. Qu'était-il advenu de Pierre Goazcoz et de ses quatre compagnons d'aventure? Têtes de pieux tous les cinq.

Vers midi, on vit arriver à la rescousse les paysans. Les pauvres étaient pieds nus, leurs pantalons de panne retroussés jusqu'aux genoux. Les plus riches avaient attelé leur meilleur cheval à leur charrette anglaise des dimanches et chargé dedans autant de monde qu'ils pouvaient. D'autres avaient pensé au pain et à l'eau-de-vie de cidre. Quelques voitures automobiles, conduites par des bourgeois à lunettes et manteaux à longs poils, s'étaient avancées en toussotant jusqu'aux limites de l'inondation. Mais tous ces gens n'osaient pas aller jusqu'à la côte. On les sentait inquiets. Pas seulement à cause des rouleaux qui se gonflaient toujours à quelques centaines de mètres avant de s'écraser à grand bruit dans un jaillissement d'écume. Ils savaient qu'ils seraient gênés devant le regard bleu des pêcheurs, un regard lointain qui dirait de-quoi-vous-mêlez-vous? Ils étaient cousins, sans doute, mais si ce cousinage, quand tout allait bien, leur permettait d'échanger sans offense des sarcasmes familiaux et des moqueries traditionnelles, il n'était pas question pour les uns de plaindre les autres dans l'épreuve. Alors, aujourd'hui, on gardait ses distances. Et puis il y avait les notables, les fonctionnaires, les gens en charge, les élus, qui venaient se rendre compte et calculer les interventions nécessaires. Quelques curieux aussi, mais honteux et débordant de bonne volonté.

Une famille de paysans, venue à pied de deux lieues avec ses outils sur l'épaule, pour le cas où il y aurait un coup de main à donner, s'était arrêtée un moment chez Nonna. Ils avaient été réveillés dans la nuit par le fracas du raz de marée. Les parents assuraient qu'ils avaient distinctement entendu, à cette distance, craquer les membrures des barques projetées contre les murs. Et les enfants avaient ramassé, dans la grange, des oiseaux déroutés, à moitié morts, incapables de reprendre leur vol sans s'assommer au premier obstacle qui se présentait. Des oiseaux fous, disaient-ils.

Des oiseaux. Nonna n'avait pas pensé à eux parce qu'il n'en avait pas vu un seul dans la tourmente. Ils avaient dû remonter dans les terres ou alors ils volaient très haut. Avaient-ils pu s'échapper à temps ? Le vieux pressa le pas vers le phare qui vissait toujours son double rayon dans la crasse. Quand il fut arrivé au pied de la tour, il sentit sous ses sabots les petits cadavres emplumés. Il se baissa pour les tâter. Il reconnut des gravelots, des chevaliers-aboyeurs comme il en ramassait autour du phare du Créac'h, à Ouessant, les lendemains de tempête. Les pauvres bêtes s'affolaient dans la tourmente, perdaient tout sens de la direction. Comme des phalènes par une lampe à pétrole, elles étaient irrésistiblement attirées par la puissante lanterne.

Certaines piquaient droit dessus, le choc les assom-
mait. La plupart décrivaient autour du feu des
cercles de plus en plus serrés jusqu'au moment où
elles venaient se briser une aile contre le verre. Le
gardien Nonna était fasciné par ce ballet mortel,
d'autant plus que l'envergure des oiseaux lui semblait immense et leurs formes fantastiques quand ils
étaient plaqués brutalement tout près de son visage,
eux dehors et lui dedans. La première fois, il s'était
cru assiégé par les âmes du Purgatoire car ces
offensives désordonnées, ces charges blêmes s'accompagnaient d'énormes bruits discordants où il lui
semblait discerner des plaintes humaines et même
des phrases de supplication. D'autres gardiens
n'avaient pas pu y tenir. Il avait fallu les ramener à
terre sous peine de les voir perdre le sens et compro-
mettre dangereusement la veille de mer. Lui, Nonna,
il s'y était fait très vite et même, sans s'y complaire, il
puisait une étrange exaltation dans ces spectacles qui
obligent les caractères les mieux trempés à s'interroger sur les exactes limites entre la vie et la mort, ce
bas monde et l'autre, les rapports secrets qui lient
obscurément les hommes aux oiseaux et généralement les complicités et les antagonismes entre les
éléments naturels. Et le gardien Nonna, spectateur
mais non arbitre, impuissant et privilégié à la fois
dans ces drames inhumains, aimait bien s'interroger
sur sa condition d'être.

C'est parce qu'il l'avait presque percé à jour que
Pierre Goazcoz, affamé lui-même de savoir, ne cessait
pas, sous mille prétextes, et sans jamais s'enquérir
clairement, de lui faire raconter ses nuits et ses jours.
Il épiait les moindres paroles de Nonna comme si
l'autre allait, à travers une faille de son langage, lui
apporter quelque illumination capable d'orienter sa
propre quête. C'est que l'autre vivait une part de sa

vie au sommet d'un cierge planté droit dans la mer, une tige monstrueuse germée d'un caillou et dont la fleur est une lanterne porte-feu. A vivre là-haut, ni sur terre ni sur mer, érigé dans le ciel mais étranger à lui, on ne doit plus se sentir nulle part, c'est-à-dire que l'on est tout prêt à basculer de l'autre côté du monde pour peu que l'on cesse un instant de tenir bon, de s'accrocher à ces riens misérables qui vous font quotidiennement exister, par exemple. Nonna aurait bien voulu basculer, même sans l'assurance de revenir conter à son ami Goazcoz comment c'était. Plusieurs fois il s'est laissé aller tant qu'il a pu, jusqu'à déraisonner pour mieux s'aider à franchir le pas. Et il a eu beau larguer tout, il est resté dans ses sabots. L'autre côté n'a pas voulu de lui. C'est tant pis pour Pierre Goazcoz.

Ton Nonna se dit qu'il n'est qu'un pauvre homme. S'il a eu quelquefois ses chances, ce fut quand il gardait les phares de haute mer, les tours sauvages qu'on appelle les Enfers et qui se décrochent quelquefois si bien qu'on n'en retrouve rien de plus qu'une brasse de chaîne sur le roc. Un gardien de sa connaissance a disparu de son phare par une nuit de beau temps, laissant derrière lui une pipe allumée. Apparemment celui-là savait y faire pour tirer sa révérence. Mieux que moi. Mais il n'est pas revenu dire à Pierre Goazcoz quoi ni comment.

Allons! A quoi sert de rester là, un cadavre d'oiseau dans chaque main, à remâcher d'anciens griefs contre soi-même! Après des années de phares-enfers, il y a eu les phares-purgatoires qui sont déjà plus supportables pour le commun des mortels, édifiés qu'ils sont sur de vraies îles avec de l'herbe et une maisonnette. Mais pour Nonna, c'était déserter les premières lignes, abandonner les frontières. Or, Pierre Goazcoz ne lui en avait pas voulu de s'être replié, c'est vrai. A l'entendre, et si l'on démêlait bien ses paroles, il semblait même persuadé que son ami se trouvait sur des positions plus favorables. Allez savoir pourquoi Nonna, sans bien s'en rendre compte, avait fini par le croire aussi. Mais il ne s'était rien passé de plus ni de mieux. Et il avait terminé son temps dans un phare-paradis, sur la grande terre, au-dessus d'un port de presque cent barques, ici même, à Logan. De là-haut, il pouvait voir la mer et la terre, toutes les deux à l'infini, l'une avec ses écueils aux noms d'animaux domestiques, la Truie, les Pourceaux, la Jument, les Moutons, le Chien, la Chèvre, l'autre avec ses îlots paysans, ses villages cernés d'arbres éventés autour desquels s'ordonnaient les sillons en vagues immobiles. Et lui, là-haut, mélangeant le tout avec sa lanterne tournante jusqu'à en avoir lui-même le tournis. Mais il était resté du même côté que les autres, du même côté que sa sœur, gardeuse de vaches et bineuse de pommes de terre, chez laquelle il avait fini par descendre pour sa retraite. C'est à peine si elle s'impatientait quelquefois de ne pas comprendre certaines choses qu'il disait et qui sortaient de sa bouche sans qu'il fût capable de les maîtriser. Elle pensait que d'avoir vécu si longtemps dans une tour à lanterne avait rendu son frère un peu drôle. Un tout petit peu qui était plus inquiétant que ne l'aurait été beaucoup. Plus respectable aussi. Comme ces vieilles murailles fissurées, lézardées, mais dont la masse et la tenue sont telles qu'on les sait capables de durer encore un siècle malgré les fantômes indéfinis qui les habitent. Les pêcheurs de Logan pensaient comme la sœur de Nonna. Et les enfants hésitaient entre se moquer de lui et se placer sous sa protection. Quant à Pierre Goazcoz, il n'avait d'autre souci, rentré au port, que de se mettre en quête de l'ancien gardien quand celui-ci n'était pas à l'amarrage habituel de l'*Herbe d'Or*. Et s'il n'y était pas, c'était parce que sa tête l'avait emmené ailleurs. Pierre Goazcoz voulait savoir où.

Ton Nonna reposa doucement les oiseaux morts sur la caillasse. Il n'y avait rien à en tirer. Les pigeons voyageurs transportent un message dans leur bague, les volatiles de mer sont indéchiffrables. Et peut-être ces deux-là savaient-ils où se trouvait l'*Herbe d'Or*. Il fallait aller chercher ailleurs des signes dont il était sûr qu'ils avaient été émis, le téléphone de la douane en était un. Soudain, il lui vint à l'esprit que le départ de Pierre Goazcoz, juste avant le raz de marée, signifiait que son ami (était-il vraiment son ami?) avait trouvé la bonne heure pour atteindre l'autre rivage. Et maintenant il savait. Alain Douguet, Corentin Roparz, Yann Quéré et le mousse Herri savaient aussi. Lui, Nonna, était laissé pour compte. Il eut envie de mourir. Mais la mort serait une défaite pour qui n'avait eu d'autre désir que d'entrer vivant dans l'au-delà. A tout prix il lui fallait rejoindre ceux de l'*Herbe d'Or*. Le moyen, il le trouverait.

La brume avait encore épaissi. Le balai du phare ne trouvait aucun repère. Nonna se mit en marche vers le port. Il avançait en aveugle, mais il n'avait pas besoin de voir. Le chemin lui était si bien connu qu'il le retrouvait exactement sous ses pieds. Du moins jusqu'au moment où ses sabots furent amortis par le sable que le raz de marée avait chassé plus loin que les premières maisons. Le vieux s'arrêta pour estimer sa direction. Sur sa gauche, du côté de la terre pensait-il, se firent entendre des pas pesants mais assurés et bientôt une énorme masse émergea de la brume, passa presque au ras du bras qu'il avait écarté de son corps pour se protéger instinctivement.

C'était un vieux cheval que Ton Nonna reconnut aussitôt, celui de Joachim Tallec, le goémonier. Il avait disparu, la nuit dernière, de son écurie dévastée, plongeant son maître dans l'inquiétude. Sans doute avait-il erré depuis à travers la campagne et maintenant, rassuré, il regagnait sa mangeoire. C'est Joachim qui serait content. Il l'avait cherché vainement tout le jour, redoutant de le trouver mort, le ventre ballonné, dans quelque cul-de-sac. C'était vraiment un très vieux cheval. Il n'était plus guère capable de tirer de la grève plus d'une demi-charretée de goémon, mais il n'avait pas son pareil pour voiturer les cercueils, avec la mine et l'allure qu'il fallait, entre la maison mortuaire et l'église. Cheval d'enterrement, il revenait pour le cas où l'on aurait besoin de lui. Il soufflait très fort, les babines claquantes, l'air de méchante humeur. Sans réfléchir, Ton Nonna appuya une main contre sa croupe et le suivit en essayant de se rappeler son nom pour le mettre en confiance. Il savait que l'animal retrouverait son écurie sans faute. Et l'écurie était presque sur le port, l'écurie de Bayard. Voilà ! C'était son nom. Le vieux le prononça distinctement à plusieurs reprises pour conjurer le sort, non pas le sien, mais celui de l'*Herbe d'Or.* Un cheval sans nom, c'est celui de l'*Ankou,* le conducteur des âmes.

Ce ne fut pas long. Une seule fois, Bayard s'arrêta net devant une masse noire qui sembla le déconcerter. C'était un canot échoué dans le chemin, sans grand mal semblait-il, un canot de retraité pêcheur de crevettes et mouilleur de casiers. Nonna frotta le chanfrein du cheval qui était sans bridon, le prit sous la bouche et lui fit contourner l'épave. Après quoi ils furent sur le quai en quelques minutes. Alors la bête s'écarta brusquement de l'homme et partit au petit trot. Nonna ne chercha pas à la retenir ni à la suivre.

Il était sûr qu'elle était attendue par Joachim et il ne
voulait pas troubler les retrouvailles. D'ailleurs, il se
sentait tiré dans une autre direction, il n'aurait pas su
dire laquelle ni pourquoi. Il s'obéissait. Il s'était
toujours obéi quand la décision ne venait pas de sa
volonté mais se trouvait d'avance en lui.

Il y avait quelques pauvres lumières diluées derrière des fenêtres sans vitres. D'autres lumières, plus
rares encore, se déplaçaient par les rues avec des
balancements et des arrêts. Des lanternes-tempête,
sans doute, de pauvres gens obstinés à la recherche
de quelque bien dont la perte leur navrait le cœur. La
brume, dans l'agglomération, était moins opaque
certainement qu'à la pointe du phare d'où venait
Nonna. Il distinguait presque le dessin des façades.
Traversant la place du quai, il s'approcha du café de
Tante Léonie. C'était là que Pierre Goazcoz parta-
geait les gains de la pêche entre ses gars, là aussi qu'il
acceptait quelquefois de jouer aux cartes. Il n'avait
pas de sœur, lui, seulement une grande maison vide,
au fond d'une ruelle traversière, où les plus anciens se
souvenaient d'avoir mis quelquefois les pieds du
temps de ses parents. Nonna lui-même n'y était
jamais entré. Pierre Goazcoz le quittait toujours à
l'entrée de la ruelle. Quelquefois il s'excusait avec un
sourire gêné : « Il n'y a rien dans ma maison, rien du
tout. Ce n'est pas là que je vis. » Un hiver, il avait
contracté un mal de poitrine qui l'avait tenu au lit
pendant une quinzaine. A la première poussée de
grande fièvre, il avait loué une chambre chez Lich
Mallégol qui faisait hôtel-restaurant au milieu du
bourg. Et c'était Lich qui l'avait soigné avec l'aide de
sa fille Lina. Il faut dire que depuis des années il
prenait assez souvent ses repas de midi chez elles.
Mais la sœur de Nonna en avait pris de l'humeur :
« C'est ici qu'il aurait dû venir, ce monsieur, s'il

avait un peu de politesse. Maintenant, on va dire que je n'étais pas capable de le soigner aussi bien que ces deux-là. » Ah ! les femmes !

Chez Tante Léonie, deux hautes lampes à pétrole éclairaient la salle où tout avait été à peu près remis en ordre après l'offensive de l'eau salée. Elle, qui ne lâchait jamais son tricot d'habitude, était debout derrière son comptoir, les mains à plat dessus, regardant dans le vide. Assis devant les tables de bois, il y avait les anciens de l'*Herbe d'Or,* ceux qui avaient mis sac à terre depuis des années. Un par table, livré à lui-même, ne trouvant rien à dire aux autres. Canévet Louis, celui qui ne supportait pas d'entendre son prénom avant son nom et qui était le meilleur boute-en-train du port, avait enfoui sa tête entre ses bras sur la table comme quelqu'un qui dort. Mais il ne dormait pas car ses pieds ne cessaient pas d'aller et de venir sous sa chaise. Nonna détourna la tête et reprit sa route. Il passa au ras de quelqu'un qui se tenait debout contre un pilier d'appentis dont le reste avait disparu. Il ne reconnut pas l'homme, mais l'autre dit son nom, Yann Dantec, et laissa échapper un petit rire. Un rire d'impuissance et de fatalité. « Et voilà comment vont les choses », répondit Nonna. Qu'auriez-vous dit à sa place ? Et se taire on ne peut pas non plus devant un homme qui rit de désespoir.

Marchant toujours à son pas et sans hésitation, Nonna s'efforça de ne pas penser à sa sœur qui l'attendait devant la soupière avec son humeur des mauvais jours. Elle faisait exprès de ne jamais manger une bouchée avant son retour afin qu'il se sentît coupable. Pour être juste, il devait avouer aussi qu'elle se faisait du mauvais sang pour lui, croyant qu'il lui arrivait parfois d'avoir envie de se détruire. Pauvre femme ! Si elle savait que justement il voulait éviter la mort. S'il avait dû rentrer pour la soupe, il serait déjà en direction de sa maison. Et c'est vers la grève du sud-ouest qu'il allait cette fois, bien qu'en son for intérieur il se reprochât d'y aller. Mais il ne pouvait résister à quelque force qui l'attirait par là.

Quand il atteignit l'étroit sentier qui descendait vers la grève en contrebas, il crut à une hallucination en voyant une faible lumière sur l'eau morte. Il s'approcha du rivage autant qu'il put, mais il n'avait pas encore mouillé ses sabots qu'il savait déjà de quoi il s'agissait.

C'était une bougie allumée, plantée dans un grand pain noir. Quelqu'un, dans sa détresse, avait retrouvé l'ancienne croyance selon laquelle cette bougie dans ce pain, confiée à la mer, se dirigeait d'elle-même vers l'endroit où reposaient sous l'eau les corps des marins noyés. Les cadavres de ceux de l'*Herbe d'Or* s'ils avaient péri au large. Mais qui donc avait eu recours à ce sacrifice ? Ton Nonna s'accroupit et, de ses deux mains, donna une forte poussée à cet étrange autel échoué sur le sable pour lui faire reprendre la mer. Le pain hésita un moment, parut chercher son cap. Puis, lentement, il revint au sec. L'eau n'avait pas une ride, il n'y avait pas un souffle de vent. Si la bougie est rejetée, pensa le vieux, c'est donc qu'il n'y a pas de cadavres en mal de sépulture. Il se releva en poussant un soupir de soulagement qui se mua en demi-sourire quand la bougie s'éteignit d'elle-même. Il en restait pourtant la hauteur d'un travers de main. C'était donc qu'elle refusait de brûler pour rien.

Et soudain, Ton Nonna fut frappé par une révélation qui le cherchait depuis quelques heures : on était entré dans la nuit de Noël, mais personne, à Logan, n'avait le courage de s'en souvenir.

II

La maison des Douguet était à l'opposé du phare, à cinq cents pas de la cale du port. Cinq cents pas d'homme exactement. Quand les enfants Douguet allaient à l'école, ils se dépêchaient d'apprendre à compter pour savoir au juste le nombre d'enjambées qu'il leur fallait faire depuis leur seuil jusqu'au premier anneau d'amarrage à la racine de la jetée. Quand ils pouvaient couvrir la distance en cinq cents pas ou moins, ils estimaient qu'ils n'avaient plus rien à faire derrière une table, à salir du papier avec de l'encre et ânonner en français *le Tour de France par deux enfants.* Ils étaient devenus des hommes, donc en mesure de gagner leur pain. Leur hâte de se libérer était d'autant plus grande que certains de leurs petits camarades du port étaient déjà embarqués depuis un ou deux ans quand leur père, le pêcheur Douguet, finissait par consentir à les laisser suivre sa trace.

Au fond, le père n'était pas mécontent de cette vocation de ses fils. Lui-même était le premier marin de sa famille, il avait commencé par garder les vaches avant de traquer le poisson sous une voile dans un bateau creux. Ce n'était pas tant pour améliorer son ordinaire, car il préférait le goût du lard à celui de la godaille, mais plutôt pour donner du relief à son

existence et obéir à un obscur instinct de lutte. Et
puis, la mer n'est le bien de personne tandis que le
moindre bout de mauvais champ appartient à quelqu'un qui vous fait suer dessus pour son profit sans
aucun espoir de le racheter jamais. Et encore, les
pêcheurs formaient une communauté à la fois plus
libre et plus serrée que la société paysanne, le risque
quotidiennement couru en toute égalité effaçant les
préoccupations de rang en même temps qu'il éva-
cuait les petites mesquineries qu'entretenait la stabi-
lité terrienne. Voilà ce qu'il pensait, le Douguet, et
bien d'autres choses encore qu'il ne disait pas, à
moins d'être poussé dans ses retranchements, parce
qu'il n'était pas porté à faire du bruit avec sa bouche.
Outre que cet homme, disait-on, avait des complicités ailleurs que chez les êtres vivants. Comprenez ce
que vous pouvez.

A son arrivée des champs il avait subi les plaisan-
teries que les gens de mer échangent volontiers à
propos des coupeurs de vers, ceux qu'on appelle, sur
la côte, des « warmêziens [1] », les gens de la campagne. Quelques sarcasmes aussi avaient salué sa
maladresse dans la confection des nœuds marins. Il
avait riposté tranquillement en infligeant aux
pêcheurs, mine de rien, un nœud-de-taureau qui les
avait laissés perplexes et vaguement admiratifs. Et
puis une fois, chez Tante Léonie, il avait perdu
patience à force d'entendre un affronteur de comptoir
débagouler des anecdotes offensantes pour les culs-
terreux. En un tournemain, l'autre s'était retrouvé
plaqué au plancher après avoir volé en l'air et cogné
au plafond des deux sabots à la fois. Il y avait gagné
le surnom de Moulin-à-vent. Après quoi il ne fut plus
question de corde à vache sur le port. D'ailleurs, le

1. Campagnards.

Douguet fit rapidement la preuve qu'il était habile et efficace à bord, et parfaitement imperturbable par gros temps. Dans ses rares moments d'irritation, il se soulageait en affirmant à haute voix que les paysans font les meilleurs marins tandis que le contraire n'était pas vrai. Ce sacré Douguet, s'exclamaient les autres en se tapant sur les cuisses avant de parler d'autre chose. En réalité, lui-même avait fini par oublier qu'il avait cultivé la terre pendant plus de vingt ans. Le bouseux avait trempé son cœur au sel.

Mais sa femme, Marie-Jeanne Quillivic, était restée paysanne de pied en cap. Elle avait refusé obstinément d'habiter dans une rue, il lui fallait des champs autour d'elle. Quant au front de mer, on ne l'y avait jamais vue. Alors que la plupart des femmes de son état se plaisaient à travailler à l'usine de conserves, non seulement pour le salaire mais pour le plaisir de la compagnie, Marie-Jeanne avait acheté une vache et loué deux champs autour de la vieille maison de ferme, un peu à l'écart, sur laquelle elle avait jeté son dévolu en arrivant chez les gens de la côte. Les autres femmes racontaient en plaisantant, mi-figue mi-raisin, qu'elle n'avait voulu faire que des garçons pour ne pas risquer de voir ses filles aller à l'usine. Mais elle aimait le poisson plus que son mari, savait le préparer comme pas une, mijotait des cotriades à damner un ermite et n'avait pas son égale pour ramender les filets. Si l'on ajoute qu'elle trouvait le temps de fourbir si bien sa maison qu'on aurait pu y manger par terre — elle disait volontiers que sa maison était son troisième champ et le premier des trois — on avouera que le Douguet avait quelque raison de proclamer de temps à autre, histoire de taquiner Tante Léonie, que les paysannes font les meilleures épouses de marins, pêcheurs ou non. Il pensait aussi à sa patience et à ce pouvoir qu'elle avait de rester seule à son travail sans soupirer après les commérages ni le café de quatre heures. Et cependant, elle n'était pas sauvage; sympathisait volontiers à l'occasion mais avec une telle réserve dans le comportement que les plus effrontées des sans-manières se gardaient d'empiéter sur son quant-à-soi. On n'allait jamais la voir sans précautions tout en sachant qu'on serait toujours courtoisement reçu et traité avec honneur. Elle ne rendait pas d'autres visites que mortuaires, mais à celles-là on ne la vit jamais faillir.

Les Douguet avaient eu trois fils. Marie-Jeanne aurait bien voulu les voir entrer à l'école des mousses pour servir dans la Royale, sur les grands bâtiments en fer du gouvernement qui ne risquaient pas, sauf en temps de guerre, d'aller par le fond. Son petit frère à elle, qu'on appelait Manche Dorée dans son village, avait fait les Dardanelles avec le fameux amiral Guépratte. Elle les avait emmenés à Brest, une fois, pour leur montrer la grande marine. Ils avaient été intéressés, avaient promis de faire leur temps de service en col bleu et pompon rouge, mais c'étaient la pêche et le port de Logan qui leur tenaient à cœur. Leur père s'était fait construire une barque dont il espérait beaucoup. Il prit les deux aînés à son bord dès qu'il fut avéré que rien ni personne ne pouvait les détourner de leur envie. Un an à peine après son baptême, la nouvelle barque se perdit dans la tempête sur les lieux de pêche et tout son équipage fit un trou dans l'eau. Le temps de mener le deuil et le troisième fils, Alain Douguet, se faisait embaucher sur l'*Herbe d'Or* par Pierre Goazcoz, ce fou de la tête. Et de l'*Herbe d'Or,* qui avait mis à la voile une heure avant le déclenchement du raz de marée, pas de nouvelles, ce soir de Noël.

Quand Ton Nonna reconnut, à travers la brume, la maison des Douguet, il fut mal à l'aise à l'idée qu'il lui fallait se présenter tout seul devant Marie-Jeanne Quillivic. Certes, il était venu assez souvent chez elle mais il y avait toujours au moins l'un des hommes Douguet entre elle et lui. Même muet, il servait d'interprète et peut-être d'intercesseur. Marie-Jeanne souriait à son mari ou à ses fils et leur demandait si Nonna Kerouédan accepterait de boire une goutte ou de manger un morceau, l'un n'allant généralement pas sans l'autre. Et elle ne s'adressait jamais à Nonna lui-même. Celui-ci se récriait par politesse, proclamant qu'il n'avait ni faim ni soif. Alors le Douguet articulait posément : mettez-nous donc de quoi sur la table ! Marie-Jeanne avait déjà commencé à le faire. Et l'on voyait bien que c'était de bon cœur.

Ainsi en usait-elle avec tous ceux qui passaient dans sa maison et dont aucun, bien sûr, ne lui était inconnu. Elle ne regardait en face que ses hommes. On sentait bien que ce n'était point par hypocrisie, timidité ou indifférence à l'égard des autres, mais sans doute parce qu'elle estimait indiscret de planter ses yeux dans les leurs. Et eux, de leur côté, s'attachaient à ne regarder que les hommes Douguet, de peur de surprendre le regard de Marie-Jeanne. Ce manège, qui n'en était pas un pour elle, était éprouvant pour le visiteur (ou la visiteuse) et en même temps il (ou elle) ressentait une curieuse satisfaction de s'entendre, par Douguet interposé, appeler par son nom tout entier et désigner à la troisième personne. C'était bien de l'honneur.

Il y avait plus étrange encore. Un jour, quelqu'un de bonne foi avait dû passer au ras des fenêtres de Marie-Jeanne parce que c'était le seul moyen pour lui d'aller où il voulait en évitant le chemin inondé. Une des fenêtres était ouverte et il avait entendu Marie-Jeanne, s'affairant à son ménage, qui parlait à ses hommes Douguet, lesquels étaient en mer tous les trois. Elle parlait distinctement et abondamment, mais il n'avait pas pu comprendre ce qu'elle disait. C'était un langage tout à fait ordinaire, mais qui n'avait pas de sens pour lui. Il s'était enfui du mieux qu'il avait pu, honteux d'avoir surpris une confession alors qu'il n'avait pas reçu les ordres. Quand il s'était confié à Nonna et à Pierre Goazcoz (pourquoi ces deux-là?), celui-ci avait souri sans le moindre commentaire. Nonna s'en était sorti avec une petite phrase anodine comme : elle a sa tête à elle. Lui-même, il lui arrivait de parler tout seul et en s'adressant à des personnages qui étaient morts depuis longtemps.

Maintenant, immobile dans la brume et la nuit devant la porte de Marie-Jeanne, il hésitait à l'appeler. Qu'allait-il lui dire? Pourquoi s'était-il laissé égarer par là? S'il avait été son maître, il aurait plutôt décidé d'aller rôder autour de la maison de Pierre Goazcoz, peut-être même d'entrer dedans. Elle n'était jamais fermée, n'avait pas besoin de l'être, défendue qu'elle était contre toute curiosité par le seul fait d'appartenir à un tel homme. Oui, il serait entré, il aurait essayé d'aider son ami en habitant sa demeure quelques instants, en la faisant résonner de ses pas et peut-être de sa voix. Mais il avait été conduit malgré lui devant la maison des Douguet. C'était donc ici qu'il devait venir, nulle part ailleurs. Pour se donner du courage, il pensait qu'il serait peut-être le bienvenu. Quelque chose d'indéfinissable dans l'attitude de Marie-Jeanne en sa présence lui avait toujours donné à croire qu'il y avait, entre elle et lui, une sorte d'entente inexprimée, une complicité même, est-ce qu'il savait quoi? C'était peut-être le moment de le savoir.

Il tousse. A petit bruit. La porte s'ouvre lentement. A moitié.

— Qu'est-ce qu'il attend pour entrer, Nonna Kerouédan?

— Il est bien tard, Marie-Jeanne. J'étais à marcher par là. Vous n'êtes pas dans votre lit?

— Il ne voit donc pas que je suis debout? Qu'est-ce qu'on irait faire dans son lit quand on a tout un poids de misère à porter? On est mieux sur ses jambes pour sentir la charge et s'en accommoder autant qu'on peut. Mais lui, Nonna, n'est pas un homme de la campagne. Son dos ne lui a jamais beaucoup servi. Il devrait entrer tout de suite s'il ne préfère pas aller plus loin.

— Je ne voudrais pas vous déranger, Marie-Jeanne.

— Les amis des Douguet sont toujours les bienvenus dans leur maison.

La voix est morne et unie. Elle semble venir de très près, mais Nonna ne distingue pas les traits de la femme. Elle doit être tout contre la porte entrouverte, à l'intérieur. Puis il entend le bruit des sabots qui se traînent, sur la terre battue, vers le fond de la pièce. Il se décide à entrer avec précaution, après avoir tâté le seuil avec ses propres sabots et pris appui des deux mains contre les pierres de taille. Dehors, malgré le brouillard, il distinguait encore quelque chose à travers la clarté laiteuse. Dedans, c'est la nuit totale.

— Il fait bien noir, ici. Je ne vois pas le bout de mes sabots.

— Il entend leur bruit, non! C'est assez pour se conduire dans un endroit où l'on est venu souvent.

— Quand même, une petite lampe à pétrole...

— Une petite lampe à pétrole ne lui servirait qu'à

découvrir son malheur de créature du haut en bas, comme on dit.

— J'aime bien me voir comme je suis, Marie-Jeanne. Je suis habitué au misérable sac d'os qui est le mien. Nous faisons bon ménage depuis longtemps, prêts à nous quitter quand il faudra.

— Il ne comprend pas ce que je veux dire. On est mieux dans le noir quand on attend des hommes qui ne rentrent pas. Attendre, c'est écouter avec les oreilles et avec le corps. On n'écoute pas bien quand on voit.

— Je sais cela. Ma mère attendait mon père de la même façon quand il était au large. Il n'y a rien qui use autant. Elle est morte l'année même où il a ramené sa dernière godaille pour ne plus faire que jouer aux cartes chez Tante Léonie et se crever les poches avec les poings sur le quai. Elle n'en pouvait plus, la mère. Mais les hommes ne savent pas attendre comme les femmes. Moi, depuis que j'ai fini mon service, quand un bateau manque à l'appel, je me tiens toute la nuit à la pointe du phare avec d'autres retraités. Nous gardons les yeux fixés sur l'horizon jusqu'à pleurer nos maigres larmes de vieux qui mouillent sans couler. Quelquefois, nous ne pouvons rien voir, la sacrée brume est si épaisse qu'elle mange aussi la lanterne, au haut de la tour. C'est même étonnant pour quelqu'un qui a passé, comme moi, une part de sa vie dans l'œil de cette lanterne. Mais, pour nous, attendre c'est regarder dans la direction d'où peut venir une voile ou un feu. Il y en a qui croient que si l'on peut fixer la mer assez fort et sans faiblir, cela tient les gars sur l'eau, cela empêche le bateau d'aller voir le fond. Moi, je ne sais pas bien.

Ton Nonna se tait. Il est essoufflé d'avoir parlé si longtemps. Mais il est complètement désemparé dans ce noir, avec cette femme qui ne donne plus signe de vie, dont il ne sait pas si elle est devant ou derrière lui, loin ou près, assise ou debout, si elle ne va pas se manifester par des prières ou des imprécations, car il ne s'attend pas à la voir pleurer. Le silence dure peut-être le temps de dix battements de cœur. La peine de Nonna se tourne en inquiétude. Que fait donc Marie-Jeanne Quillivic? L'inquiétude devient de l'angoisse. Il se retourne vers la porte qui est à trois pas, dont il voit le rectangle à peine plus clair que le reste. A-t-il envie de s'enfuir ou de se mettre en sûreté dans l'embrasure? Au moment où il fait un geste pour avancer, l'ombre de Marie-Jeanne s'encadre dans la sortie. La retraite de Nonna, si de retraite il est question, se trouve coupée. Et aussitôt s'élève la voix véhémente de la femme.

— Et si c'était vrai ce qu'il dit! N'aurait-il pas dû rester à la pointe pour tenir les gars sur l'eau par la force de son regard? Mais eux, les hommes, ils manquent tous de vraie foi. Pas seulement les vieux qui mâchent leur chique sur le quai, inutiles à tous sauf à eux-mêmes, indifférents à tout sauf à chauffer leurs os au soleil. Les jeunes hommes des équipages ne savent plus se défendre contre le vieil océan. C'est pourtant leur affaire et non celle des femmes. La grosse veine de leur cœur est-elle aussi molle qu'une vessie de cochon! Mon mari le Douguet a connu trois naufrages. Trois fois il est revenu à la côte, on ne sait pas trop comment. Mais lui le savait. Et il me disait en riant : « Femme, je m'accroche à la vie par les dents. » Les jeunes marins d'aujourd'hui ont les dents pourries. Mon fils Alain comme les autres.

Elle ahanait très fort entre les phrases portées par un souffle violent. Et tout son corps tremblait dans l'embrasure de la porte. Dans la tête du vieux Nonna commencèrent à flamber d'anciennes colères. Il sentit se nouer toute sa carcasse, lui aussi. Probable que si quelque porteur de braies avait fait entendre pareilles divagations devant le comptoir de Tante Léonie, il se serait empoigné avec lui malgré son âge. A moins que Tante Léonie, la veuve Léonie, n'eût jeté l'autre dehors sans entendre la fin de son discours. Mais la femme devant lui était Marie-Jeanne Quillivic qui n'était la tante de personne.

— Ne dites pas des choses qui vous feront cuire de honte pas plus tard que demain, Marie-Jeanne. Votre mari, le grand Douguet, était un homme de fer. Trois fois il a pu ramener son corps au sec. Mais à la quatrième, quand son bateau l'a lâché, les vagues ont fini par lui casser les reins, Dieu lui pardonne.

— Pardonner quoi ? Le seigneur Dieu n'est jamais là quand il faut. Mais il est vrai que les hommes n'apprennent pas à vieillir. Il était trop vieux déjà, le grand Douguet, et il ne croyait pas que la vieillesse était en train de le détruire. Il y en a un autre qui ne l'a pas su non plus. C'est Pierre Goazcoz, le maître de l'*Herbe d'Or*. Il avait le même âge que Nonna Kerouédan, le même âge que le grand d'ici. Mais Nonna, dans son phare, a fini par devenir raisonnable. Tant mieux pour lui.

— Je n'étais qu'un pauvre gardien de phare à l'ordinaire, c'est vrai. Mais j'ai quand même pris de beaux coups de torchon en mer avec les uns et les autres, y compris le grand Douguet. J'aurais pu y rester aussi bien que lui. Croyez-moi hardiment, je ne suis pas fier d'être en vie. Surtout cette nuit.

— Je ne reproche rien à personne. Chacun suit ce qui le tire et quelquefois il aimerait se commander mieux. Moi, je me commande assez bien, mais ce n'est pas toujours facile. Maintenant, par exemple, je ne sais pas où j'en suis de ma vie ou de ma mort. Ce que je demande, c'est pourquoi on vient me troubler dans ma solitude si l'on n'a rien de plus à me dire.

— Je vous comprends bien. Hélas, je n'ai rien de plus à vous dire, non. Depuis que cette fin du monde a commencé, tous les vivants sont encore saufs dans le pays. Et tous ils se tourmentent pour l'*Herbe d'Or* de Pierre Goazcoz, mon camarade, sur lequel se trouvent Alain Douguet, votre fils, le pauvre Corentin Roparz et le petit mousse Herri, sans compter l'autre là, dont je ne me rappelle jamais le nom, ce paysan qui a lâché les vaches pour aller au poisson, le pauvre fou, l'âne cornu, le crapaud gris...

— Voilà que j'entends de mauvaises paroles qui ne sortent pas de moi. Il s'appelle Yann Quéré, ce paysan. Celui-là, sa planète l'a poussé sur la mer. On ne peut pas dire non à sa planète.

— Pardonnez-moi. Je n'aurais pas dû quitter la pointe, cette nuit. Mais je ne pouvais plus durer. Dites-moi qu'ils vont revenir, Marie-Jeanne. Votre confiance doit être plus forte que la mienne. Les femmes savent mieux attendre, et qui attend rattache à lui ceux qui sont attendus. Dites-moi que nous les verrons tous débarquer sur le quai avant la fin de la nuit. Même le paysan. Je n'ai pas voulu dire du mal de lui. Les injures que j'ai laissé échapper, c'était par trop grande pitié.

L'ombre de Marie-Jeanne s'écarte de la porte. Et la porte se ferme lentement. C'est elle qui la pousse. On entend le bruit du cliquet. Nonna se croit au fond d'un puits. Il entend les sabots de la femme qui se traînent en direction de la cheminée. Quand la voix s'élève de nouveau, elle semble venir de plus bas comme si Marie-Jeanne s'était assise sur la pierre du foyer. Elle a repris son calme.

— Comment pourrais-je aider les autres ? J'attends, mais je n'espère pas. Ce soir, la tempête s'est

calmée d'un seul coup. J'ai entendu dehors un bruit
de rames et plusieurs voix d'hommes, celle de mon
fils Alain par-dessus les autres. Je suis sortie en hâte,
sans coiffe et sans sabots. J'ai appelé, il n'y a pas eu
de réponse. La brume était vide et nue. Je suis
revenue m'asseoir. Deux autres fois j'ai entendu les
mêmes bruits et il n'y avait rien quand je courais
voir. Alors, l'oiseau *morskoul* est venu frapper à ma
vitre. Je peux encore attendre, je ne peux plus
espérer.

— L'oiseau *morskoul* avait perdu sa route comme
ceux qui se sont écrasés contre la lanterne du phare.

— Il n'y avait aucune lumière ici. Et l'oiseau ne
s'est pas heurté à la vitre, il a frappé trois coups aussi
distinctement qu'avec un doigt. Il est reparti aussitôt, sa commission faite.

— Ecoutez, Marie-Jeanne Quillivic. Votre espoir
reviendra comme le mien. Le mien avait fondu en
écume tout à l'heure, à la pointe. Et avant d'arriver
devant chez vous, le bruit des vagues a changé de ton
et une étoile est apparue dans la crasse, toute blême
et tremblante. Alors, j'ai pensé que nous étions dans
la nuit de Noël. C'est la nuit de Noël, entendez-vous ?

— Justement, c'est l'une des trois nuits où les
morts font visite aux vivants. C'est pourquoi j'attends mon fils.

— Je ne vous reconnais plus. Pourtant...

— Pourtant, j'ai déjà perdu trois de mes hommes
et l'on m'a vue marcher aussi droit que dans ma
jeunesse. Celui-ci était le dernier. Maintenant, je
peux courber le dos et négliger mes coiffes. Pour qui
tiendrais-je la tête haute ? Les arbres les plus durs
sont ceux qui cassent d'un seul coup.

— Il y a des bateaux qui reviennent après des cinq
et des huit jours. Tranquillement. J'en ai connu
plusieurs, oh oui, et vous aussi. Et les gars n'avaient

pas assez de leurs boyaux pour rire quand on leur disait qu'on les avait crus morts.

Du côté du foyer monte une voix enfantine.

— L'oiseau *morskoul* a frappé à ma vitre. Et mes trois hommes sont déjà là, tout muets dans les ténèbres, assis sur le banc en face de mon lit. Le père est au milieu, les bras croisés, entre ses deux fils qui ont les mains à plat sur les genoux. Quand je tourne autour de la table, je heurte l'épaule de l'un ou de l'autre. Si Nonna voulait venir par ici, il les verrait comme je les vois, un peu moins bien parce qu'il ne les connaît pas assez. Mais il les verrait. Nonna Kerouédan a des yeux pour cela.

— C'est leurs semblants que vous voyez à force de nourrir des songes. Et vous avez cru entendre un oiseau qui n'est jamais venu. Il n'y a personne que nous deux. Tonnerre, Marie-Jeanne, il ne faut pas rester dans le noir, vous allez perdre la tête. Où est la lampe à pétrole, dans cette maison? Je vais allumer tout de suite.

Ton Nonna ne sait plus très bien s'il est sur la terre. Voilà qu'il a peur de basculer de l'autre côté, lui qui a tant désiré le faire. Mais ce n'est ni le lieu ni le moment, même si les trois Douguet l'attendent, assis sur leur banc. Il faudrait d'abord que Pierre Goazcoz soit là. Est-ce que Marie-Jeanne a pitié de lui?

— Il a raison, Nonna Kerouédan, il est temps d'allumer. J'ai mis un cierge presque neuf dans le chandelier, juste devant mon mari. Mon Dieu, où sont les allumettes! Alain Douguet sera là bientôt. Il faut qu'il voie de la lumière dans sa maison.

— Un cierge! s'épouvante Nonna.

— L'oiseau *morskoul* a frappé à ma vitre.

La voix lui vient maintenant du côté du lit. Le vieux fouille fébrilement ses poches à la recherche de la grosse boîte d'allumettes qui ne le quitte jamais et se trouve toujours à la même place avec la pipe. Mais il ne sait plus où, à cause de la voix qui psalmodie maintenant des litanies. Marie-Jeanne n'a pas abdiqué son étrange rancune contre le seigneur Dieu qui n'est jamais là quand il faut, mais peut-être la Vierge y peut-elle quelque chose.

— Miroir de justice, trône de sagesse, rose des cieux, tour d'ivoire, maison d'or, arche d'alliance, porte du ciel, étoile du matin...

Ton Nonna craque une allumette sur l'étoile du matin et, entraîné par le rythme, étourdi par les images, il fait monter en lui la réponse ou plutôt le retour du chant qu'il articule à forte voix : *miserere nobis*. Vêpres, missions, mois de Marie, veillées mortuaires, odeur d'encens. Le cierge est devant lui, au milieu de la table. Il allume ce phare mystique.

D'abord, il ne voit rien que le bout de la mèche, charbonneux, qui a déjà servi. Quand la flamme prend sa forme, elle éclaire le masque blafard de la récitante qui sort tout seul de la nuit comme un plâtre. Les lèvres minces bougent à peine. Elle est habillée de noir, ses cheveux sont aussi noirs que le velours de son gilet. Entre le front et les pommettes hautes, deux trous d'ombre laissent à peine deviner les paupières fermées. N'étaient les invocations qui s'échappent d'elle par saccades, on dirait d'une tête coupée. Derrière et tout autour, de faibles points lumineux : les clous de cuivre du lit clos. Le pauvre Nonna est si remué qu'il ferait bien le signe de croix s'il n'en avait pas perdu l'habitude depuis trop longtemps. Il regrette maintenant d'avoir allumé, mais c'est trop tard.

Soudain Marie-Jeanne fait silence. Elle met les coudes sur la table, soulève deux mains pâles pour s'en couvrir la figure. Quand elle les écarte, un

moment après, elle a les yeux ouverts, des yeux noirs
et brillants, d'un éclat difficile à soutenir. Ils sont
fixés sur Nonna, mais il n'y a aucun regard dedans.

— Tout est prêt, dit-elle de sa voix quotidienne.
Sans se retourner, d'une main, elle écarte large-
ment les portes du lit clos.

— La chapelle blanche! gémit Nonna éperdu.
L'intérieur du lit est entièrement tendu de draps et
de serviettes immaculés, même le fond ouvert qui
donne sur le mur pourtant déjà blanchi à la chaux.
Sur ce fond, deux rubans de velours noir sont
épinglés en croix, de ces rubans qui servent à bâtir la
coiffe autour du peigne courbe. L'un sur l'autre, deux
oreillers attendent une tête. Au milieu de la couche,
une assiette blanche porte un rameau de buis. Il n'y
manque plus que l'eau bénite. C'est l'apparat ordinaire que l'on dresse autour d'un cadavre exposé
pour la veillée funèbre.

— Marie-Jeanne, vous n'auriez pas dû, parvient à
souffler le vieux.

— On a toujours retrouvé les corps de mes
hommes. Celui de mon fils Alain viendra bientôt à la
côte. Tout est prêt.

— C'est vous aussi qui avez mis à l'eau, dans
l'anse du Dourig, un pain de seigle avec une bougie
allumée?

— Ce n'est pas moi. J'ai dit que mon fils reviendra
tout seul vers sa mère. Je n'ai pas besoin de le faire
chercher. Mais il y a d'autres hommes sur l'*Herbe
d'Or*. Et d'autres femmes qui attendent. Chacune fait
de son mieux.

— Je ne sais pas quoi vous dire, Marie-Jeanne. La
chapelle blanche! Je ne peux plus tenir sur mes
jambes. Il faut que je m'assoie.
Marie-Jeanne Quillivic le regarde maintenant. Et
c'est un vrai regard, seulement destiné à lui. On

dirait même qu'une ombre de sourire vient errer sur ses lèvres.

— Tirez une chaise vers la cheminée, Nonna Kerouédan. Il n'y a plus de place sur le banc des hommes.

— Non, bien sûr. Trois gaillards capables comme ils sont remplissent bien le banc.

Voilà qu'il est devenu complice de la vision. Il a beau s'être défendu de toutes ses forces, Marie-Jeanne a fini par triompher de lui. Il n'ose plus regarder vers le banc de peur d'y voir matérialisés les trois fantômes qui sont déjà présents, il n'en doute pas, celui du grand Douguet au milieu, les bras croisés, entre ceux des deux fils qui tiennent leurs mains à plat sur les genoux. Combien de fois les a-t-il vus ainsi de leur vivant! Et puisqu'ils sont là, qu'est-ce qui les empêcherait de lui parler? Aurait-il le droit de leur répondre sans dire quelque maladresse qui détruirait ces retrouvailles. Seule Marie-Jeanne... Ils devaient parler ensemble quand il est venu, parler d'Alain Douguet qu'ils attendaient tous les quatre, le petit, celui qui mangeait sur une chaise au bout de la table pour être plus près d'eux et qui les appelait en riant les Trois Rois Mages. Ces Douguet ne faisaient rien comme les autres. Ceux qui venaient les voir s'étonnaient toujours de ce que le banc du lit fût réservé à la mère, laquelle l'offrait aux visiteurs et les servait debout selon l'usage. Oui, il était venu troubler une réunion de famille au plus intime degré, il s'en faisait reproche. Mais une source de joie coulait en lui parce que Marie-Jeanne Quillivic l'avait regardé dans les yeux et appelé par son nom. Par sa voix et par son regard, tous les Douguet faisaient de lui un parent ou un allié de près. Il était donc à sa place dans cette maison, il ne lui restait qu'à s'y conduire comme il faut. Tout tremblant d'émotion joyeuse et d'appréhension à la fois, Nonna s'en va prendre une chaise contre le mur du couchant et l'approche de la cheminée. Marie-Jeanne allumait déjà le feu tout préparé sous le trépied. Elle s'affairait à travers la pièce, ouvrait le buffet, manipulait de la vaisselle et des couverts, en bonne ménagère qui veut recevoir les gens avec honneur. De veiller les morts n'empêche pas d'honorer les vivants qui sont venus partager le deuil. C'est même une règle à laquelle on ne saurait manquer sans faire grand déplaisir aux défunts car c'est en leur nom qu'on reçoit les vivants.

— Je vais vous chauffer du café. Et puis, vous mangerez bien un morceau. Je parie que vous êtes à jeun, pauvre homme.

Elle prépare la cafetière, met une casserolée d'eau sur le feu qui crépite — c'est de l'ajonc — en dégageant de la fumée. Marie-Jeanne va ouvrir la porte pour que la cheminée tire mieux.

— Tiens, dit-elle de sa voix tranquille, de sa voix ordinaire, voilà qu'il se met à neiger. Il est vrai que c'est Noël.

Nonna la rejoint près de la porte.

— Regardez là-bas, du côté du large. Malgré la neige, l'étoile de tout à l'heure brille toujours dans le ciel. C'est étonnant.

— Il n'y a rien d'étonnant, la nuit de Noël. Cette nuit-là est capable de faire se lever le soleil et la lune en même temps. Allez donc vous asseoir, Nonna Kerouédan. Je vais mettre les bols devant mes hommes, chacun le sien. Aucun d'entre eux ne voudrait prendre son café dans le bol d'un autre. C'est le rouge qui est celui du grand Douguet. Les bleus sont à mes fils. Le rouge, c'est le chiffonnier qui me l'a donné dans la semaine de mes noces. Vous vous rappelez, Douguet! Nonna, poussez donc le cierge au bout de la table. Ou plutôt, mettez-le

carrément sur l'appui de la fenêtre. Douguet aime
bien boire son café les deux coudes sur la table. C'est
son habitude. Je vais vous donner le pain et le beurre,
attendez un peu, les hommes n'ont jamais de
patience quand ils sont assis le ventre à table. Vous
aurez peut-être un petit coup d'eau-de-vie, oui, un
coup d'eau-de-vie fait du bien sur le chaud du café.
C'est la nativité de Dieu le Fils.

Tout en parlant, elle a posé le pain sur la table, le
pain d'abord. Elle l'a posé devant le grand Douguet
puisque c'est à lui de trancher. Elle apporte maintenant le bol rouge du père, les bols bleus des fils. Les
voilà en place, le banc des hommes est pourvu. Reste
à pourvoir le petit, celui qui s'asseyait au bout de la
table et savait rire comme pas un. Marie-Jeanne
retourne vivement à son buffet en chantonnant un
cantique de Noël. Et le cantique s'arrête net sur un
bruit de vaisselle brisée. Marie-Jeanne éclate en
sanglots convulsifs et tombe à genoux.

— Qu'est-ce que vous avez, pauvre chère ?

— J'ai cassé le bol de mon fils Alain. Maintenant
il ne viendra plus.

III

— Alain Douguet !

Une voix appelle dans les Limbes. Elle semble venir de très loin et vouloir porter plus loin encore. Pourtant, l'appel s'adresse à un être vivant qui se trouve à quelques pas de la bouche qui l'a proféré, vers la proue d'une barque dont la coque et le mât de taillevent tranchent à peine sur le fond de brume. L'homme de l'avant se lève.

— Je suis là. Quelque chose ne va pas ?

— Approche, viens près de moi. J'ai seulement besoin de toucher quelqu'un.

— Le mousse ?

— Il est à mes pieds, ramassé en rond comme au ventre de sa mère, pauvre Herri. Et puis un mousse n'est pas tout à fait un homme.

L'homme de l'avant, Alain Douguet, émet des grognements confus où il est question de garce de vie. Son ombre enjambe le banc, traverse avec précaution la seconde section pour ne pas réveiller un dormeur étendu à plat dos. C'est Corentin Roparz. Alain attrape le mât du second banc, l'embrasse, s'y tient cramponné un instant.

— J'ai les jambes raides, souffle-t-il. Du bois sec sous une écorce mouillée.

Tournant autour du mât, il parvient à franchir le banc. De la troisième section monte un ronflement entrecoupé de spasmes. Yann Quéré a le sommeil profond mais agité. Alain Douguet s'assoit maintenant sur le banc de pompe. Les quelques mouvements qu'il vient de faire l'ont un peu dégourdi. Il pivote sur son derrière, se met debout. L'instant d'après, il tend deux mains au maître de la barque, Pierre Goazcoz, qui les prend dans les siennes et le fait s'asseoir près de lui.

— Jamais vu un calme pareil, dit Alain avec un petit rire. Et cette eau sous la quille, c'est du plomb. On pourrait mener un sabbat d'enfer sur l'*Herbe d'Or* qu'il ne bougerait pas d'un poil.

Mais Pierre Goazcoz ne l'entend pas. Il continue à dire tout haut ce qu'il a ruminé dans sa tête depuis des heures et qui a fini par trouver des paroles.

— J'avais seulement besoin de toucher quelqu'un. Depuis que ce coup de chien nous est tombé dessus, nous n'avons plus trouvé le temps de penser les uns aux autres. Moi du moins, et c'est pourtant à moi de veiller à votre vie. Je n'ai pas eu assez de ma chair et de mes os pour tenir l'*Herbe d'Or* face aux lames. J'y ai employé toute ma tête. J'ai essayé de faire passer ma volonté dans ces pauvres planches, de commander au taillevent de battre à la cadence de mes gestes. Vous autres, je vous voyais à peine vous démener devant moi. C'était comme si vous aviez été des apparaux un peu plus simples et plus obéissants à ma voix que le reste à ma barre. Je sais bien que le bateau doit passer avant les hommes, mais ce sont quand même les hommes qui comptent, non !

— On ne peut pas sauver les hommes sans sauver d'abord le bateau. Nous le savons tous. Et chacun de nous a d'abord pensé à lui-même avant de penser à vous. Nous sommes quittes, commandant.

— Ne m'appelle pas commandant !

— Excuse-moi, Pierre Goazcoz, cela m'échappe quelquefois quand je ne fais pas attention. Cela échappe aux autres aussi. Sauf au petit Herri qui est trop jeune, qui ne sait peut-être pas que vous avez commandé un navire pendant la guerre de Quatorze. Un petit, c'est vrai, mais en fer, avec des canons.

— C'était dans une autre vie. Dans ma vie présente, je suis un patron pêcheur, comme on dit. Ce n'est ni mieux ni plus mal, mais de ce que j'étais avant il ne doit plus être question.

— Je sais, mon père m'a prévenu. Mais j'ai la tête légère quelquefois. Et avec ce que nous avons enduré...

— Approche-toi, fils. Où es-tu ?

— Tout contre toi, à te toucher. Tu as la main sur ma jambe.

— C'est ta jambe que je tiens là ? Je croyais crocher dans un aviron. Tu n'as plus de chaleur.

— Tout juste assez pour tenir en vie. Mais toi, tu ferais bien de dormir un peu. La mer et le vent sont tombés. Profite de l'accalmie. A la première risée qui se lèvera, il faudra tâcher de rentrer. Et toi seul es capable d'estimer où nous sommes, dans cette crasse.

— Il faudrait pouvoir dormir. J'ai toujours eu du mal à le faire. D'ailleurs, cette fois-ci j'ai dépassé les bornes de la fatigue. C'est l'âge, sans doute, qui a profité de ce coup dur pour me peser dessus de tout son poids. Je suis comme isolé de mon corps. Je me sens bien. Comment va cette avarie à l'avant ?

— Peu de chose à mon avis. Ça a craqué juste au haut de la joue, à tribord. Il faudrait que la danse reprenne pour qu'on embarque de l'eau. Il n'y a pas apparence. La mer est morte, le ciel est mort. As-tu jamais vu une telle tempête finir d'un seul coup ?

— Non. Et je n'ai jamais vu l'océan se mettre dans

cet état. C'est parti sans crier gare, ça s'est mis à fermenter dur sous l'*Herbe d'Or* et aussitôt le ciel est entré en action, les vents nous ont foncé dessus de partout, ils n'arrivaient pas à trouver leur lit. Par moments, tu te rappelles, ils se· contrariaient tellement, ils barattaient si bien la surface qu'on aurait dit un tremblement de terre.

— Eh! Ils en ont peut-être eu un, à la côte, qui sait!

— Possible. N'importe comment, on a beau en avoir vu de toutes les sortes, on reste toujours des apprentis.

— Sûr. Si quelqu'un ose me dire qu'il connaît cette marmite d'eau salée comme sa chique, je lui ris au nez. Et tiens, puisqu'il est question de nez, je parie que l'*Herbe d'Or* boutera encore le sien contre un quai. Il y a quelques heures, je n'en aurais pas dit autant.

— C'était beau, hein, Alain Douguet!

— Beau? Qu'est-ce qui était beau? Je me serais bien passé de cette beauté-là. Tu nous en fais entendre de drôles, quelquefois.

— Je sais. Nous avons manqué d'aller au fond quand j'ai arrêté de courir pour mettre à la cape après avoir perdu la misaine, avec son mât. Mais je ne pouvais pas faire autrement. Il fallait risquer. Qu'aurais-tu fait, à ma place?

— Je ne sais pas. Ce n'est pas mon affaire. C'est toi qui commandes.

— Je te commande de me dire ce que tu aurais fait, tête de lanterne!

— Je serais allé au fond, probable. C'est venu si vite et si étrangement. Tu as manœuvré comme il fallait. J'aurais peut-être fait la même chose, mais pas aussi bien. Il ne faut pas t'aigrir le sang, Pierre. Tu es toujours le meilleur. D'aussi fin marin que toi, je n'ai connu que mon père. Et encore je dis cela parce que je suis son fils.

— Ton père avait plus de deux sous de sagesse dans la tête. Moi, je ne suis qu'un animal de mer. Je sais bien ce qu'on dit de moi : Pierre Goazcoz sent le poisson comme un chien le gibier. Son nez le mène à la sardine et il y va tout droit. Et il la trouve. Et il la prend à chaque fois. Si tu veux gagner de gros sous avec ta part de pêche, embarque sur l'*Herbe d'Or.*

— C'est ce qu'on dit et c'est la vérité.

— Mais Pierre Goazcoz se risque trop loin. Il ne prend pas assez garde aux vents ni au ciel quand il emplit ses filets tout seul sur la mer déserte, toujours à l'écart de la flottille. Si tu veux mourir au sec, n'embarque pas sur l'*Herbe d'Or.*

— Si tu veux mourir au sec, reste à garder les vaches.

— Et pourtant je prends garde aux vents, je prends garde au ciel. Je les connais mieux que la plupart, tu entends. Seulement, à chaque fois qu'une tempête éclate, je suis dedans. En plein dedans. Je n'en ai pas raté une seule avec l'*Herbe d'Or.* Sais-tu pourquoi ?

— Oui, je sais pourquoi.

— Non, tu ne sais pas.

— Si, je le sais. Et je vais te le dire. Tu fais exprès.

— Je fais exprès ?

— Oui, tu fais exprès.

— Comment peux-tu le savoir ?

— Comment sait-on ces choses-là ! On regarde, on regarde encore une autre fois parce qu'on se demande ce qu'il y a, et puis dix autres fois s'il le faut, on réfléchit en soi-même à chaque fois et on finit une fois par deviner à peu près. Le grand Douguet, mon père, je crois bien qu'il est mort sans trop bien savoir. Ou peut-être ne voulait-il pas m'impression-

ner. Mais il avait lâché certaines paroles devant ma
mère et je me trouvais là. Le reste, je l'ai découvert à
force de faire attention.

— Faire attention à quoi ? Qu'est-ce que tu as vu ?

— J'ai vu ta figure et tes mains quand les vents
viraient pour se caler dans les mauvais trous, quand
la mer commençait à lever comme une pâte énorme.
Tes mains tremblaient sur la barre, mais ce n'était
pas de peur. Seulement de fièvre et d'attente. Et ta
figure devenait toute claire, tellement ton sourire
crevait de joie. Une joie qui me mettait mal à l'aise,
en vérité. Et tes yeux ! Tes yeux te trahissaient encore
plus que le reste. Ils avaient l'éclat du triomphe. De
quoi triomphaient-ils, c'est ce que je ne sais pas bien.
De ce démon d'océan, peut-être, qui mobilisait toutes
ses forces pour t'engloutir sans y arriver jamais. Tu
ne l'aimes pas plus que nous, hein ! Mais nous, tout
ce que nous faisons, c'est de nous défendre contre lui
alors que toi, tu l'attaques, tu lui cherches vraiment
querelle, tu voudrais le mater si bien qu'il n'en
resterait qu'une mare à grenouilles, tu regrettes qu'il
ne soit pas un monstre à quatre pattes que tu
pourrais enchaîner, humilier, jeter dans une crèche à
cochons avec un fil de fer dans le groin. Tu deviens
enragé quand il se fâche de telle manière que tu te
crois défié par lui parce qu'il t'en veut personnelle-
ment. Tu es fou de la tête en ces moments-là. Mais
c'est une folie qui me plaît assez, bien que je ne la
partage pas. Elle plaît aux autres aussi, je crois. Voilà
ce que je pense et excuse-moi si j'ai rêvé debout.

Alain Douguet se tait. Il attend de l'autre une
réaction qui ne vient pas. N'importe laquelle. Un
grognement, un éclat de rire, trois phrases d'ironie,
un assentiment à voix basse, une confession entière
ou seulement un haussement d'épaule, un mouvement de cette tête dont il distingue assez bien, dans la

gangue de brume, le profil presque net, avec ce curieux nez busqué qui est si rare chez les gens de la côte et qui, avec la très haute taille, insolite aussi, fait reconnaître un Goazcoz à première vue sans aucun risque d'erreur. Où donc sont-ils allés chercher autrefois ce corps, ces Goazcoz porteurs d'un très ancien nom d'ici et dont la graine est connue dans le pays d'aussi loin que se souviennent les plus vieux ? Des gens pas ordinaires, en vérité. Ils ont vécu de père en fils dans cette grande maison à l'écart où n'entraient que de rares têtes baptisées. De père en fils, oui, car ils n'ont procréé qu'un enfant mâle par génération. Les filles, quand il y en avait, désertaient le pays dès qu'elles étaient en âge de se marier et plus jamais on n'en revoyait la couleur. Quant aux épouses des Goazcoz, ils allaient se les procurer hors de la Cornouaille, vers le pays de Léon si l'on en jugeait par le breton très articulé, le breton de prédicateurs qu'elles avaient à la bouche. Elles vivaient de la même vie que les autres femmes mais avec peu de paroles, jamais de sourires, ne fréquentant personne sinon pour les devoirs à rendre à l'occasion des morts et des naissances. On ne les voyait jamais aux mariages. Et cependant, quand l'un ou l'autre avait besoin de quelque chose qui était en leur pouvoir, elles rendaient le service sans attendre qu'on leur fît appel, averties par on ne sait quelle pénétration ou quel instinct hors du commun. La seule gêne, pour les autres femmes, était de ne rien pouvoir leur rendre, sinon en passant par leurs maris Goazcoz, beaucoup plus abordables puisque, maîtres de barques, ils avaient un équipage d'hommes dont les rapports avec eux étaient tels qu'ils savaient exactement ce qu'ils pouvaient dire ou faire sans dérangement ni offense.

Or, les plus mauvaises langues parmi les cancanières de lavoir n'avaient jamais rien trouvé à redire au sujet des femmes Goazcoz. Il y avait longtemps que la dernière était morte, celle qu'on appelait, comme les précédentes, « l'épouse de la grande maison », faute de connaître son nom de jeune fille et par impossibilité de l'appeler « madame », ce qui l'aurait injustement rejetée de la communauté des femmes de pêcheurs. Pierre Goazcoz était son fils. Il n'avait jamais entrepris le voyage vers le Léon ou tout autre pays pour se pourvoir d'une épouse. Peut-être n'y en avait-il plus de la race de sa mère. Avec lui finiraient les Goazcoz. Il avait fait de hautes études à Paris, travaillé comme ingénieur dans un grand chantier naval avant de revenir aux lieux de sa naissance à la mort de son père et pour des raisons qui étaient les siennes. Comme les Goazcoz qu'on avait connus avant lui et qui n'avaient vécu que pour la mer avec le prétexte du poisson, il s'était fait faire une barque de pêche. On aurait bien voulu savoir pourquoi il l'avait appelée l'*Herbe d'Or.* Ce n'est pas sans de bons motifs que l'on impose tel ou tel nom à un navire de haute mer. Les patrons pêcheurs ne sont pas avares d'explications pour justifier leur choix. A tout prendre, il est plus facile de baptiser un enfant. Les hommes du bord ont le droit de savoir à quoi s'en tenir. Le nom de l'embarcation les renseigne déjà sur le caractère du maître, sur la façon dont il entend mener leur tâche commune et sous quels auspices. « *Pain Quotidien* », « *Ave Maria* » ou « *Tiens Bon* », voilà qui est assez clair. Mais l' « *Herbe d'Or* » ! Il est vrai que l'on appelle ainsi le goémon, mais pas n'importe lequel. C'est un buisson de filaments blonds qui fulgure quelquefois, tout seul, ancré sur un écueil au milieu d'un champ d'algues. Aussi rare que le trèfle à quatre feuilles, mais réputé maléfique depuis le commencement des temps. Les paysans qui viennent charger, sur la côte, des charretées de goémon pour engraisser leurs champs, quand ils repèrent une herbe d'or, échouée comme une épave en grève, se gardent bien de la toucher de leur fourche. Leurs pères savaient pourquoi, eux ne savent plus. Pierre Goazcoz doit sûrement le savoir, mais on ne pose pas de questions à un Goazcoz, on attend qu'il parle tout seul s'il veut bien. Il ne s'était jamais expliqué, même les rares soirs où il avait accepté de fêter la bouteille avec les autres chez Tante Léonie. Il n'y a rien de tel qu'une bonne saoulerie avec des camarades de misère pour faire sortir de tous des secrets dont votre confesseur n'aura jamais la moindre idée parce qu'ils ne sont pas comptés au nombre des péchés, encore qu'ils soient infiniment plus graves, à eux seuls, que les sept capitaux ensemble. C'est en vain que certains, plus curieux que les autres, s'étaient enhardis jusqu'à interroger Ton Nonna dont Pierre Goazcoz faisait sa compagnie ordinaire. Ton Nonna ne savait rien de plus que le commun des mortels de Logan. Le maître de l'*Herbe d'Or* était son confident, sans doute, mais lui-même n'était pas le sien.

Alain Douguet est tout surpris d'avoir osé parler à Pierre Goazcoz comme il vient de le faire. De quoi se mêle-t-il ? Qui est-il donc pour manquer à ce point à la discrétion de règle à l'égard de cette famille ? Bien sûr, les Douguet ont toujours pu se permettre certaines libertés avec les gens de la « grande maison ». Ne dit-on pas, dans Logan, que Marie-Jeanne Quillivic, sa mère, est la seule femme qui aurait pu y entrer si elle l'avait voulu ! La seule capable de faire s'arrêter la mère de Pierre pour échanger plus d'une phrase avec elle quand il leur arrivait de se rencontrer au détour de quelque chemin ! On les avait vues. Mieux encore, une commère à l'œil plus vif que les autres ou

plus habile à épier le monde avait répandu le bruit
que les deux femmes ne cessaient pas de sourire en se
parlant face à face. Lui-même, Alain Douguet, avait
eu l'heur de plaire à Pierre Goazcoz dès le jour où il
avait mis les pieds sur l'*Herbe d'Or.* Et depuis les deux
hommes étaient à l'aise l'un avec l'autre, presque en
amitié dans la mesure où le premier pouvait se faire
amical, où le second parvenait à maîtriser un caractère ombrageux qui le faisait s'emporter quelquefois
contre son propre père quand celui-ci était vivant.
Malgré la différence d'âge, le tutoiement passait
facilement dans les deux sens, ce qui n'était possible
que pour les originaires du pays, jalousement
conscients d'une égalité véritable auprès de laquelle
faisait piètre figure le deuxième terme inscrit à la
mairie sous le buste d'une femme en bonnet. Mais
cette égalité n'avait plus cours dès qu'entrait en
question le domaine essentiellement privé de chacun.
Alors, pourquoi diable Alain Douguet avait-il
empiété sur celui de Pierre Goazcoz jusqu'à le traiter
de fou de la tête et d'enragé ! Il avait fait une faute,
c'était certain, et ce n'est pas en s'excusant sept fois
qu'il allait la racheter. Le silence de l'autre, l'impas-
sibilité même de ce profil d'empereur décalqué à la
mine de plomb sur une pièce de cent sous, étaient la
preuve que le jeune pêcheur avait outrepassé les
bornes de sa permission.

Mais quoi ! N'était-ce pas le maître de l'*Herbe d'Or*
qui avait commencé ! A-t-on idée de poser des
questions pareilles sur une barque en mer, après une
tempête de fin du monde, alors qu'on se trouve
encalminé, englué, figé, fossilisé, oui, c'est le mot,
dans une brume plus dense que l'eau de mer qui fait
encore semblant de supporter ce sabot de Noël sans
erre ni cap, alors qu'on est moulé dedans presque
aussi étroitement qu'un pharaon d'Egypte dans son

sarcophage, si ce que racontait le maître d'école est vrai !

Et Alain Douguet se lève, s'étire un bon coup comme pour se dégager du moule avant qu'il ne soit tout à fait solide. Il n'est pas pharaon, lui, ni près d'être momie. Le voilà qui trouve la force de rire.

— Des sottises. Allons, je retourne à l'avant.

Reste là. Il n'y a rien à faire à l'avant.

A la bonne heure, il a parlé. La voix est égale et nette, la médaille du profil n'a même pas frémi. Alain se rassoit sans discuter. Un ordre est un ordre, commandant, le reste n'a aucune importance. Le reste, c'est le bavardage de tout à l'heure, n'y pensons plus. Sans offense pour l'un ni l'autre. Il soupire de soulagement à l'idée que Pierre Goazcoz ne lui tient pas rigueur d'avoir percé à jour ses raisons de marin et d'avoir pris l'audace de s'en expliquer avec lui. Fou de la tête, quand même, c'est un peu dur si l'on ne va pas plus loin que le sens ordinaire des mots. Dur et peut-être injuste, après tout, parce qu'à bien y réfléchir... A moins qu'il ne se soit complètement trompé sur le compte de Goazcoz. Mais pourquoi ce dernier n'a-t-il rien dit ? Qu'est-ce qu'il est en train de ruminer encore, immobile à son banc ? A force de réfléchir, il va peut-être s'imaginer que j'ai profité de la situation où nous sommes pour déballer tout ce que j'ai sur le cœur à son endroit ! Mais je n'ai aucun grief contre lui. Bien sûr, j'aurais dû lui dire depuis longtemps que je le savais fou de la tête. Pourquoi l'ai-je dit tout à l'heure ? Sans offense, est-ce bien sûr ? Je ne sais plus où j'en suis. Ce qui est arrivé, c'est que, pour la première fois, il m'est apparu si faible, si plein de doutes à l'égard de lui-même que je n'ai pas pu me retenir de lui porter un coup pour le punir d'avoir perdu sa force et pour me prouver, à moi, que je n'avais pas perdu la mienne

dans tout ce tremblement. Quel âge a-t-il ? Dix
années de plus que mon père, je suppose. Il doit être
complètement éreinté, le vieux Goazcoz, avec tout ce
qu'il a dû dépenser d'énergie pour nous tenir sur
l'eau depuis la nuit dernière, et c'est peut-être moi,
l'homme de l'avant, qui pourrais dire comment il a
déjoué des pièges où je serais tombé cent fois. Il s'est
rompu le corps, c'est sûr, maintenant il se rassemble
durement pour nous sortir d'ici, pour nous ramener
chez les vivants. Et moi, me parlant de lui, je dis « le
vieux Goazcoz ». Personne ne l'a jamais appelé ainsi.
Son nom est Pierre. Et toi, petit Douguet, tu es un
beau salaud.

Il se prend la tête dans les mains. Si seulement ce
satané vent voulait bien se mettre à souffler un peu !
Un tout petit peu. Tout juste assez pour faire bouger
l'*Herbe d'Or*, réagir la barre sous l'aisselle fourbue du
maître et que l'on sache de nouveau reconnaître la
proue de la poupe. Quelle statue, cet homme ! S'il ne
se tenait pas si droit, on dirait bien qu'il est mort. Et
tout le reste de l'*Herbe d'Or,* pour autant qu'Alain
peut en voir, est pareillement statufié. Il distingue le
mousse lové en tas près du banc de pompe et qui
n'est plus qu'une masse de sommeil. Plus loin, il
devine le grand corps de Yann Quéré qui s'est mis
sur le ventre et ne donne plus signe de vie. Corentin
Roparz est trop loin pour qu'il puisse le situer, mais il
sait qu'il est endormi en position assise, le dos contre
le flanc de la barque et les mains croisées sur le
ventre. Alain Douguet sent monter en lui un frisson
d'inquiétude qu'il réprime farouchement pour qu'il
ne se gonfle pas en une vague de peur qui risquerait
de crever en cri de détresse. Il est le seul à garder les
yeux ouverts sur ce rafiot. Les autres se sont ramassés
autour de leur cœur qui bat au ralenti. Egoïstement.
Ils l'ont tous abandonné. Il pourrait crever dans la

minute qui suit sans qu'aucun d'entre eux lui porte le
secours de son souffle ou de sa voix, à défaut d'une
étreinte de sa main. Il est plus seul que ne peut
jamais l'être aucune créature, d'autant plus seul qu'il
repousse, de toutes ses forces, une image à laquelle il
ne veut plus songer et qui cherche à imposer sa
présence. Si elle y arrive, il est capable d'enjamber le
plat-bord et de la noyer en même temps que lui.
Comment pourrait-il en avoir raison autrement! Il
écarquille les yeux jusqu'à s'en faire mal. S'il les
ferme, l'image va surgir à l'intérieur de sa tête, il en
est certain. Pour l'écarter de lui, il lève ses deux
mains contre sa figure et se met à compter ses doigts
en les appelant mentalement par leurs noms. Quelle
dérision! Les chiffres vont bien de un à cinq, il
pourrait les continuer à l'infini comme ceux-là qui
comptent les moutons pour s'endormir, mais les cinq
noms se dérobent sous les cinq syllabes qui désignent
l'image dont il veut chasser l'obsession : LI — NA —
KER — SAU — DY. Et soudain, dans le néant qui
dévore l'*Herbe d'Or,* il entend distinctement claquer
des sabots de bois léger sur les pierres d'un quai.
Encore quelques secondes et le claquement s'arrêtera
pour délivrer un éclat de rire, la figure sera devant
lui, dehors ou dedans. Alors, éperdu, impuissant à se
retenir, il écoute sa propre poitrine exhaler un
gémissement qui lui semble interminable.

— Je crois bien que j'ai dormi un peu, dit la voix
sereine de Pierre Goazcoz. Et pourtant je t'écoutais
parler de moi. Que disais-tu déjà ?

— Je ne sais plus. Moi aussi, j'ai dû dormir sur
mes dernières phrases. Peut-être même les dire en
dormant. Trop fatigué.

Il a un rire presque franc. Il respire beaucoup
mieux. La voix de Pierre Goazcoz a couvert l'autre
rire et du claquement des sabots de femme plus de

nouvelle. L'image a été exorcisée pour cette fois. Alain regarde avec gratitude la médaille d'ombre devant lui. Le profil n'a pas dévié d'une ligne.

— J'ai cru entendre dire que j'étais fou de la tête ou quelque chose d'approchant. J'ai peut-être mal entendu.

— Non. C'est exactement ce que j'ai dit.

— Est-ce que les autres savent?

— Savent quoi?

— Ce que tu sais.

— Pas tout à fait la même chose, sans doute, mais chacun d'eux connaît de toi ce qu'il lui importe de connaître et qui est la raison pour laquelle il est monté sur ton bateau. Herri le mousse est encore un enfant...

— Donc c'est lui qui en imagine le plus. Entre imaginer et savoir, la distance n'est pas toujours grande. Je ne voulais pas le prendre, celui-là. C'est lui qui m'a pris.

— Ah bon! Puisque tu le dis. Je croyais qu'un mousse n'était jamais qu'un mousse. Corentin Roparz travaille sur la mer comme il ferait dans une usine de conserves ou n'importe où. Mais pour deviner ce qui se passe dans sa tête...

— Justement. Il se plaît avec nous parce que personne ne cherche à entrer dans ses petits ou ses grands secrets. Sur l'*Herbe d'Or,* chacun a sa place et y reste, chacun a sa tête et la garde. J'ai veillé à cela depuis toujours jusqu'à cette nuit.

— Et Yann Quéré, le paysan! Si quelqu'un à bord peut te confesser sans t'entendre, c'est bien lui. Il est fin comme une lame de faux.

— Possible. Certain même. Mais de vous tous, c'est le plus respectueux de la personne privée des autres. Il se force tellement à la discrétion qu'il en paraît égoïste, indifférent à ce qui se passe en nous

au-delà de nos occupations communes. C'est seulement de la patience. Une patience terrienne. Il sait
qu'il arrive toujours une occasion où celui qui se croit
le mieux sur ses gardes finit par se découvrir.

— Ce sera ce soir ou jamais.

— Ce sera ce soir si le vent ne se lève pas. Lui seul
pourrait nous libérer de nous-mêmes. Ils vont se
réveiller tout à l'heure. Je leur dirai qui je suis. Et il
faudra bien qu'ils disent pourquoi ils se risquent sur
l'*Herbe d'Or*. Ils sont tellement à bout, ils en ont
tellement vu depuis la nuit dernière qu'ils n'auront
pas le courage de mentir. Mais je serais surpris qu'ils
me croient fou de la tête. Ils n'auraient pas embarqué
avec moi, même en gagnant plus gros que les autres
équipages.

— Je suis bien là, moi. Et pourtant je sais.

— Il n'y a pas longtemps que tu sais. Hier encore,
peut-être, tu n'avais que des soupçons. D'ailleurs, tu
es le fils Douguet, de quoi pourrais-tu avoir peur ?
Sûrement pas d'un fou de mon espèce.

— Sûrement pas. Mais il y en a d'autres, même
s'ils savaient, qui n'hésiteraient pas à monter sur
l'*Herbe d'Or*. Tu as été pris combien de fois dans les
coups de torchon, Pierre Goazcoz ! Et toujours tu t'en
es tiré sans grand dommage. On sait que tu es un bon
marin, mais on dit surtout que tu as de la chance.
Dans notre métier, il faut compter sur la chance.
Tant que l'*Herbe d'Or* ne s'en ira pas en morceaux, tu
trouveras des hommes. Moi le premier.

— Cette fois-ci, j'ai pourtant perdu mes filets, mes
avirons, ma misaine et tout le petit matériel. Je
ramène un bateau nu, avec une avarie à l'avant et
d'autres blessures qu'on ne voit pas encore.

— Mais tu le ramènes. Je suis prêt à repartir avec
toi. Les autres aussi.

— Je vous ramènerai, c'est promis. Mais l'*Herbe*

d'Or ne reprendra plus la mer. Moi non plus. A
moins que... Non, ceci ne regarde aucun de vous. Tu
peux retourner à l'avant.

— Il n'y a rien à faire à l'avant.

— A l'arrière non plus. Tu m'as fait du bien,
Alain Douguet. Beaucoup plus que tu ne crois. Si tu
veux me contenter tout à fait, retourne à l'avant.

Tout le corps d'Alain lui fait mal. Avec précaution,
il se met debout. Il a bien compris que Pierre
Goazcoz veut rester seul maintenant. Et lui, il
aimerait demeurer près de l'autre, à parler de
n'importe quoi, à se taire ensemble, à se défendre
mutuellement contre l'agression des pensées rongeu-
ses, à repousser les hallucinations en se touchant
l'épaule ou le genou de temps à autre. Certes, il
n'aurait qu'à dire au maître de la barque : je ne
bouge pas d'ici, pour s'entendre répondre aussitôt :
c'est très bien, comme tu voudras. Le maître aurait
compris que son homme d'avant avait besoin d'une
présence, qu'il était désemparé, aux prises avec
quelque fantôme redoutable que seul un voisinage
humain pouvait conjurer, même sans la moindre
confidence. Et Alain Douguet ne voulait pas se
confier. Jamais de la vie. Il ne demanderait aucun
secours à personne, il se défendrait tout seul. Et s'il
devait succomber, ce serait une affaire qui ne concer-
nerait que lui et peut-être l'image de son obsession si
elle a gardé de lui quelque semblant de souvenir.
Alain ferme les poings pour ne pas être tenté de
compter sur ses doigts les cinq syllabes à bannir
coûte que coûte. Il prend courage sur une bouffée
d'orgueil en songeant qu'il est venu aider Pierre
Goazcoz et qu'il retourne d'où il vient sans avoir cédé
à la tentation de lui demander quoi que ce soit en
retour. Allons ! Il va retourner au poste qui lui
appartient en passant par les carrés de ses camara-

des. Ils sont prostrés dans leur linceul de brume. Pas un ne bouge. Mais il va faire son possible pour ne pas les toucher et aussi pour ne pas faire osciller le bateau sur cette eau morte. Il sait que quelque chose en eux demeure aux aguets et que la moindre maladresse de sa part peut les tirer brutalement du sommeil. Il se baisse, assure ses mains sur le banc de pompe.

— Il n'y a rien à faire nulle part, dit la voix de Pierre Goazcoz, à peine audible tant elle est sourde. Si tu préfères rester ici, tu es libre.

Alain se sent gagné par une colère soudaine qui lui échauffe le corps. Le vieux l'a deviné, mais il n'aura pas le dernier mot.

— Tu ne sais plus ce que tu veux, alors! Tu donnes un ordre et puis c'est comme si tu n'avais rien dit.

— J'aurais besoin que tu m'écoutes encore un peu.

— Garde tes confessions pour le recteur de Logan. C'est la nuit de Noël, sais-tu! Peut-être arriverons-nous à temps pour la messe de minuit. Et après la messe, tu pourras t'agenouiller avec ton fardeau. Moi, je n'en ai que faire.

Déjà il vire des fesses sur le banc de pompe. Il a maintenant le dos tourné au maître de la barque et déjà le remords fait tomber sa colère. Avait-il besoin d'être si méchant! Pierre Goazcoz n'approche jamais d'aucune église bien qu'il ne manque pas de saluer correctement les hommes en soutane. Dans sa famille, la religion est l'affaire des femmes. Bon! Voilà la honte qui s'enchaîne sur le remords. Alain a envie de jurer. Au lieu de cela, il prend le parti de mentir.

— Il faut que j'aille à l'avant. Je me demande si la joue à tribord n'a pas crevé plus bas. Je vais m'en assurer.

Il ne parlera plus, il ne reviendra pas, inutile d'y compter. Si son désarroi est trop grand, s'il se trouve en péril extrême, peut-être se couchera-t-il contre Corentin Roparz ou Yann Quéré. Comme un animal aux abois qui cherche recours là où il sent que recours possible il y a. Peut-être même éveillera-t-il l'un ou l'autre à force de halètements. Il ne reviendra pas vers Pierre Goazcoz qui porte lui-même un trop grand fardeau (n'est-ce pas le mot qu'Alain a trouvé tout seul !) pour pouvoir soulager quelqu'un d'autre, celui-là serait-il le plus proche de son cœur. Et puis, parler à un tel homme d'un sentiment pour une femme, jamais il n'oserait. Il ne se demande pas pourquoi, c'est ainsi. Il assure sa carcasse sur ses reins, écarte les bras pour parer aux faiblesses de ses genoux qu'il éprouve deux ou trois fois avant de commencer sa progression vers l'avant. Un rude travail qu'il prétend faire sans émouvoir le moindrement cet étrange chantier où les hommes sont plus inertes que le bois ou la filasse. Cela lui prendra bien quelques longues minutes. Autant de gagné. Ensuite on verra bien. Si seulement ce satané vent...

Pierre Goazcoz le voit s'éloigner dans la brume comme un pantin grotesque. Quelques mètres seulement, mais tout un désert les sépare. Il faut désormais qu'il s'arrange avec lui-même. Rien ni personne ne troublera les songes de son agonie. Car c'est bien d'agonie qu'il s'agit. Une douleur aiguë a éclaté dans sa poitrine, aussitôt le vent tombé, dès que la lutte contre l'océan a pris fin. Elle irradie toujours en lui, se faisant sourde quelquefois pour déployer de nouveau des ondes autour d'un noyau vif à faire hurler. Et lui, il ne peut s'empêcher de sourire en pensant à ce pêcheur de crevettes, presque quatre-vingts ans le bonhomme, qui fut pris d'une attaque en mer, trouva la force de rentrer au port, se fit renverser par un camion entre le quai et sa maison, passa entre les quatre roues du véhicule, se releva gaillardement et rentra chez lui en bougonnant qu'avec des traitements pareils, on finirait par avoir sa peau et la doublure s'il n'y prenait pas garde. Le médecin le condamna au lit et le mit au régime, assurant que son cœur ne tenait qu'à un fil. Trois jours après, le vieux repartait à la crevette, non sans s'être pourvu d'un solide casse-croûte uniquement fondé, par dérision sans doute, sur des aliments défendus. Il court toujours.

Pierre Goazcoz n'est pas de cette trempe. Ou bien il a trop exigé de sa carcasse. Il sent qu'il tire sur sa fin qui ne saurait tarder. Tout ce qu'il espère, c'est de ramener une dernière fois l'*Herbe d'Or* à quai et de retrouver Nonna Kerouédan à cause d'un certain accord qu'ils ont fait. Ce serait la meilleure évasion pour un fou de la tête. Et fou de la tête, il n'y a pas de doute que tel il est dès l'instant où il pose les pieds sur son *Herbe d'Or,* attendant que les éléments se déchaînent et balaient toutes ses mesures quotidiennes pour le livrer tout entier à la seule interrogation qui vaille et dont la réponse s'éloigne de lui à mesure qu'il épuise les moyens de la trouver. Une interrogation toute bête, c'est vrai, si bête que la plupart des vivants l'écartent, la remettent au dernier moment ou se satisfont d'explications incontrôlables, mais rassurantes à demi. Une tige interrogatoire plutôt, qui se ramifie en d'autres questions, bourgeonne sans cesse, fleurit en doutes et en illusions. Quel est le sens de cette vie ? Pourquoi sommes-nous venus et pourquoi faut-il partir ? Qu'est-ce que ce monde qui a l'air de nous entourer et qui peut-être fait partie de nous ? Pourquoi sommes-nous sensibles au temps qu'il fait alors que nous ne sentons nos organes intérieurs que lorsqu'ils sont malades ? La mort est-elle un commencement ou une fin et comment fait-on pour commencer ou pour finir ? Avons-nous un maître de notre destinée et pourquoi ne se fait-il pas mieux comprendre de nous, surtout si nous sommes ses créatures ? Et tout le restant de la métaphysique dont Pierre Goazcoz a fait cent fois le compte sans y voir plus clair qu'un illettré dans un antiphonaire. Quant aux philosophes, il a séché des jours et des nuits sur leurs écrits, non point sans profit pour sa gouverne, certes, ni sans y trouver certaines règles ou méthodes pour son approche des mystères. Il y a longtemps qu'il en aurait fini avec eux s'il n'éprouvait un malin plaisir à les voir brouiller habilement les pistes pour mieux échafauder chacun son système auquel manque toujours le couronnement. Au diable, donc, la philosophie ! Elle n'a jamais empêché personne d'avoir le vertige et il n'est pas besoin pour cela de se promener sur une planche entre les deux tours de Notre-Dame. Petite épreuve, d'ailleurs, puisque les deux tours sont bien ancrées aux deux bouts de la planche. A qui la réussirait, il resterait à monter sur la mer changeante.

Et voilà Pierre Goazcoz revenu (par quels chemins vagabonds) à son échec d'aujourd'hui, le dernier mais le plus cuisant. La plus belle tempête de sa vie ne lui a rien appris de plus sur la mort ni sur cet Autre Monde dont Nonna Kerouédan prétend qu'il est de plain-pied avec celui-ci et qu'on peut y accéder sans mourir dans le sens habituel du terme, même si l'on admet que le cadavre n'est pas autre chose que la chrysalide du papillon.

Le seul scandale irrémédiable, s'agissant du destin de l'homme, c'est tout de même la mort. Tout le reste est péripéties à juger par pièces et au coup par coup. Cela ne veut nullement dire que tout le reste soit sans importance. Il arrive même que certaines apparences, vraies ou fausses, de ce reste occultent si bien l'essentiel que celui-ci n'émerge qu'accidentellement à la conscience des condamnés. Ce qui distingue les hommes Goazcoz de la plupart des autres mortels, y compris leurs propres femmes et filles, c'est que pas un seul jour ne leur passe dessus sans qu'ils pensent à la mort et au scandale qu'elle constitue tant que l'on ne sait pas ce qu'elle est ni sur quoi elle débouche. Fous de la tête, les Goazcoz, mais non pas fous d'hôpital. Tout en la sachant inévitable, ils n'acceptent pas la mort, ils la rejettent comme scandaleuse, c'est tout. Par là s'explique tout leur comportement de père en fils. Ils ne peuvent rien contre elle, mais du moins veulent-ils se guérir d'abord de la peur qu'ils en ont pour ensuite la défier avec insolence à chaque fois qu'elle montrera l'un de ses visages. Et l'un des plus terribles d'entre eux est la tempête en mer et ciel conjugués. A chaque fois qu'elle éclatera, les Goazcoz seront au rendez-vous. C'est ce qu'Alain Douguet vient de comprendre à moitié parce que les Douguet sont à demi intimes des Goazcoz depuis trois générations. L'autre moitié, Pierre Goazcoz la cherche encore. Il envie la sagesse ou la résignation des vieilles gens du pays qui ont coutume de tout passer aux profits et pertes en articulant posément pour conclusion des désespoirs, des deuils, des colères, des satisfactions, des largesses, des orgies même et de tous les débordements : PA RANKER MERVEL, du moment qu'il faut mourir. Mais ils ne s'interrogent pas sur la mort. Leur souci est de terminer dignement leur passage en ce monde et de s'accommoder, s'il y en a un autre, du passeport de l'extrême-onction. On ne sait jamais.

Fous de la tête, les Goazcoz, mais ils ont toujours vécu comme tout le monde, à cela près qu'il n'était pas facile de franchir le seuil de la « grande maison ».

Mais quoi ! Ils n'étaient pas les seuls, dans Logan, à protéger farouchement leur vie privée tout en se prêtant aux autres hors de chez eux. Il y avait évidemment cette curieuse habitude qu'ils avaient d'aller chercher leurs épouses ailleurs et de ne pas permettre à leurs filles de rester au pays. Mais le père de Pierre avait expliqué à son fils qu'en agissant ainsi, ils ne compromettaient pas les femmes dans le destin des Goazcoz. Le mari mort, la veuve pouvait retourner d'où elle venait et quant aux filles, elles étaient rendues, restituées à leur famille maternelle, ce qui n'était que justice. L'aventure des Goazcoz ne concernait que les hommes, encore n'étaient-ils pas tenus de la courir si telle n'était pas leur vocation. Pierre lui-même n'avait rencontré aucune résistance paternelle quand il avait désiré préparer les grandes écoles. S'il était revenu, après plus de vingt ans passés avec les hommes ordinaires, c'est que le mal des Goazcoz était en lui. Avant de rentrer à Logan pour entretenir ce mal à défaut d'en trouver la guérison, il avait rendu visite à ses tantes et à sa sœur qui hébergeait sa mère depuis que le vieux Goazcoz avait disparu. Il avait été reçu affectueusement, il n'y a pas d'autre mot, dans des milieux de notables cantonaux, vétérinaires, notaires, grossistes, propriétaires terriens, sur lesquels régnaient, avec une sérénité bourgeoise, les femmes Goazcoz. Pour ce fils prodigue qui retournait à la prodigalité après une vaine tentative de sagesse, on n'avait pas tué le veau gras. On savait qu'il n'était que de passage et ne reviendrait plus. On savait aussi qu'il était le dernier Goazcoz. Ces gens établis, honorables, sans doute cultivant la somme de petitesses nécessaire pour durer dans leur milieu, avaient laissé voir une véritable émotion à la vue du brillant ingénieur qu'ils avaient pu croire guéri de l'ancestrale passion et qui retournait lui faire face aux lieux où elle était née. Mais aucun d'entre eux n'avait cru devoir le retenir ou le raisonner. Il avait appris, à cette occasion, que les barques des hommes Goazcoz, ceux-ci distribuant sans compter ce qu'ils avaient aux nécessiteux de Logan, étaient payées par la dot de leurs femmes ou la contribution de leurs gendres. Ses beaux-frères avaient tenu à lui offrir de quoi faire construire l'*Herbe d'Or*. Il avait accepté pour ne pas rompre la tradition puisque aussi bien elle allait finir avec lui.

Puis il avait pris congé de sa mère. La grande femme à cheveux gris qui ne quittait plus guère son chapelet lui avait rappelé que tout enfant il s'insurgeait déjà quand on lui parlait du ciel comme de la demeure du Bon Dieu, de la Vierge, de Jésus, des Anges, des Elus dont il serait peut-être s'il apprenait bien son catéchisme. Mais lui voulait savoir comment était fait ce séjour là-haut, s'il était tenu en l'air par quatre énormes chaînes comme dans l'un des contes que débitait le père de son ami Nonna. Et à quoi étaient ancrées ces chaînes ? L'Enfer était-il un puits ? Le Purgatoire entre le Ciel et le fond du puits, sur terre donc ? Et les Limbes sur l'eau ? Les Anges avaient des ailes, c'est entendu, mais les Elus en avaient-ils ? Et la résurrection de la chair ? Dix autres questions auxquelles la pauvre femme coupait court en se référant à l'omnipotence divine. Et l'enfant déclarait que lorsqu'il serait grand il partirait en quête du Paradis Terrestre qui lui paraissait plus facile d'accès que les autres royaumes d'outre-monde. Bien plus tard, en effet, il entendrait parler des navigations de saint Brendan qui avait exploré les mers à la recherche des mêmes lieux et qui les avait peut-être rencontrés et perdus. Il lui arriverait même de s'égarer quelque temps sur les traces confuses du Roi Ulysse, l'homme des tempêtes. Ce qui paraissait sûr, et ses ancêtres Goazcoz le savaient, c'est que l'immense océan recelait en son sein toutes les Îles Fortunées imaginables dont la réalité dépendait du passage entre terre et mer et ciel. Ce passage il fallait le trouver. Faute de rencontrer la bonne porte et de saisir le bon moment, il était inutile de parcourir des milliers de milles en navigateur solitaire sur l'eau salée, on ne passerait pas au-delà des apparences. Et il fallait se fier à ses propres forces sur une barque à voile soumise au vent. Quand il aurait sous les pieds un navire de guerre tout bardé de canons, il s'apercevrait bien vite que c'était le meilleur moyen de rester dehors. La seule chance était de se faire pêcheur sur la côte comme tous les Goazcoz avant lui. Peut-être quelques-uns d'entre eux avaient-ils trouvé le passage, qui sait. Son père, le taciturne, quand son fils hasardait timidement une question sur leur quête ancestrale, se bornait à répondre : cherche toi-même.

Sa mère lui avait rappelé aussi qu'à plusieurs reprises, entre ses dix et ses quinze ans, il avait fallu organiser des patrouilles pour retrouver sa trace par les chemins sournois de la palud qui s'étend derrière le cordon de galets érigé comme une fortification contre les assauts de la mer. Le petit Pierre s'échappait tout seul vers ces terres spongieuses où ne prospéraient guère que les roseaux, les mousses, le chiendent et, au revers de l'immense talus de pierres polies, le chardon bleu des sables. Il se plaisait à guetter les hérons, immobiles sur une patte au bord des étangs d'eau saumâtre. Il aimait simuler, les bras tendus, le vol des grands oiseaux de mer qui s'étourdissaient de leurs propres cris et il s'enivrait lui-même au point de tomber dans les fondrières parce qu'il gardait les yeux fixés sur le ciel d'hiver où dérivaient à toute allure des escadres de nuages. Le vent courant à trente lieues à l'heure le rendait presque dément. Il montait sur l'immense échine de galets pour regarder intensément les sept étages de vagues furieuses lancées contre la terre et qui venaient crever à grand bruit sur la grève en le couvrant de leurs embruns. Et il poussait de grands cris jusqu'à se nouer la gorge. Enfin il s'écroulait à demi évanoui et s'endormait dans le vacarme des trois éléments en pleine répétition d'Apocalypse. Il était retrouvé par une des équipes qui fouillaient la palud et passaient le cordon littoral au crible. Ramené chez lui, il dormait pendant deux nuits et le jour entre les deux. On ne lui demandait rien et il n'en disait pas plus. Fous de la tête, les hommes Goazcoz. Une seule fois, il avait abandonné la côte et la palud pour remonter au fond d'un vallon envahi de broussailles et couronné de bois de pins. Là se dressaient d'énormes pierres dont quelques-unes seulement étaient visibles, la plupart étant dissimulées aux regards par les ronces et les ajoncs. La plus difficile à trouver, disait-on, était la plus parfaite et sommée d'un coq. Ce menhir n'était pas autre chose que la pointe d'une tour d'église dont le restant du bâtiment avait été ensablé par la force de mer depuis des siècles. Autour d'elle, il y avait toute une ville engloutie dans la terre. Le petit Goazcoz n'a pas trouvé la pierre au coq. Il est rentré à la « grande maison » par ses propres forces et dans un état d'extrême épuisement alors qu'on avait cessé de le chercher sur la côte, le croyant définitivement disparu. Et il n'avait pas desserré les dents. Il avait repris ses études comme l'excellent élève qu'il était, toujours premier en classe, mais un peu trop dépourvu d'imagination, à ce que prétendaient ses professeurs. Ils avaient peut-être raison.

Au moment où il allait partir, lors de cette visite à

la famille des femmes Goazcoz, sa mère avait ramassé son chapelet et avait évoqué clairement la mémoire d'une arrière-grand-mère Goazcoz dont on ne parlait jamais, sur le port de Logan, qu'à mots couverts. Pierre savait que les pêcheurs, entre eux, l'appelaient la Diablesse, mais dans la famille il n'en était jamais question. Quand son mari avait péri en mer, au lieu de rentrer dans son pays, elle avait fait construire une barque, un petit esquif qu'elle manœuvrait seule malgré les supplications de son fils, un enfant de huit ans, qui aurait voulu monter à son bord. Par les plus fortes tempêtes, on la voyait sortir du port, on l'entendait surtout injurier le vent, les vagues, les récifs qui bordaient la passe, injurier la lune au bout du compte et même les poissons qui n'en pouvaient mais. Au demeurant, et à terre, c'était la femme la plus sage, la plus effacée du monde. Elle disparut au large, une nuit de tourmente, et ni d'elle ni de sa barque il ne fut rien retrouvé. Avait-elle forcé le passage ? A entendre sa mère en parler, Pierre Goazcoz eut l'impression qu'elle regrettait de n'avoir pas suivi son exemple. Mais il s'est peut-être trompé.

C'était il y a vingt ans et cette nuit il est là, quelque part sur cette mer qui a gardé son secret, à bord de la vieille barque *Herbe d'Or* qui a tenu tout juste une dernière fois devant les forces de vent et les forces de mer. Et lui-même ne tient plus que par l'entêtement des Goazcoz. Or, après son entretien avec Alain Douguet et ce retour qu'il vient de faire sur sa vie, il découvre soudain ce qu'il aurait dû savoir depuis vingt ans s'il ne s'était pas aussi étroitement enfermé en lui-même, ce que Nonna Kerouédan n'a pas voulu lui dire pour ne pas troubler sa recherche par d'éventuels scrupules sans commune mesure avec la haute gravité de l'entreprise : personne n'ignore, à Logan et probablement dans les autres ports de la côte, que les hommes de l'*Herbe d'Or* sont embarqués sur la nef d'un fou. Et ces hommes sont les premiers à le savoir comme l'ont toujours su tous les compagnons des Goazcoz sur leurs bateaux creux. Les Goazcoz, et lui-même aujourd'hui, ont eu beau mener des vies bien rangées, presque banales dans l'ordinaire des jours, beau se montrer des marins capables et des pêcheurs hors pair, on a toujours su que l'approche de la tempête réveillait en eux des démons inconnus qui leur faisaient perdre la maîtrise d'eux-mêmes. Des fous de la tête qui n'étaient pas des fous d'hôpital. Ils n'entraient en crise qu'avec la mer elle-même et encore pas toujours. Car ils pouvaient se dominer à leurs heures, sans doute quand leur faisait défaut certaine forme d'inspiration qu'ils étaient seuls à éprouver. Et alors? Quoi d'étonnant à cela? On connaît bien d'autres maladies qui ne se manifestent que de temps à autre et dans certaines conditions. Il en était ainsi du mal héréditaire des Goazcoz, une sorte de haut mal qui ne touchait qu'eux seuls et dont on n'aurait pas osé prononcer le nom s'il en avait un. De quoi se serait-on mêlé? Quelles puissances redoutables aurait-on provoquées? Et à quoi cette provocation aurait-elle servi? Le mal des Goazcoz, planté en eux, indéracinable, était leur affaire essentiellement privée.

Quand il éclate, ce mal, il y a grand danger pour l'équipage car l'audace des Goazcoz ne connaît pas de limites. En revanche, il est bien connu qu'au paroxysme de l'accès, ils demeurent les meilleurs manœuvriers de la côte, que leur étrange folie ne leur enlève pas une once de leur habileté servie par une connaissance exceptionnelle des traîtrises de l'océan. Dans les coups durs qu'ils affrontent avec passion, on dirait qu'ils se dédoublent. Le marin se joue de la mer, le fou de la tête mène une autre partie qui n'empiète pas sur la première et ne saurait en aucun cas la troubler. Alors, les Goazcoz pourraient hurler des bordées d'injures comme la Diablesse, leur aïeule, les hommes ne perdraient nullement confiance en eux. Et ils ont confiance depuis si longtemps, depuis le premier Goazcoz marin, que le mal héréditaire lui-même, tout obscur qu'il est, a fini par devenir un élément déterminant de cette confiance, une sorte de mascotte, un porte-bonheur inhérent à la personne du maître de barque dont ils peuvent se figurer qu'il lui doit les plus étonnantes finesses de son art de naviguer, une sorte de flair qui ne se dément jamais. C'est pourquoi ils ne mesurent pas à l'aune ordinaire les dangers qu'il leur fait courir et c'est pourquoi aussi leur comportement à son égard est tel qu'il peut se croire aussi constamment sain d'esprit qu'eux-mêmes puisque aucun d'entre eux n'a jamais fait allusion à un quelconque dérèglement de sa part. Tous pourtant, à l'exception du mousse dont c'est la première marée sur l'*Herbe d'Or,* ils ont vu Pierre Goazcoz en proie à son mal et c'est là un spectacle qui n'est pas rassurant. Mais, au-delà de toutes les considérations, il y a cette vérité connue également de tous, c'est que tous les Goazcoz, mis à part la Diablesse et son mari, sont morts à bout de forces dans leur lit de la grande maison. Toutes leurs barques désarmées, sauf une, ont pourri tranquillement dans l'arrière-port. Au-delà de toutes les considérations, il y a que les Goazcoz, bien que fous de la tête ou parce qu'ils le sont, ne se voient jamais abandonnés par la chance. La chance ! Voilà le grand mot lâché, avec lequel n'importe quel marin digne de ce nom est prêt à faire sept fois le tour des mers océanes sans jamais coincer sa chique un seul instant.

Le dernier des Goazcoz s'est tassé autour de son cœur. Il redresse le torse, affermit dans sa main la barre inutile. Il ne se demande plus si ses hommes savent ou ne savent pas et jusqu'à quel point ils savent. Sacrés bonshommes, capables de durer pendant des générations sans souffler mot du mal des Goazcoz, même entre eux, alors que les Goazcoz, s'il en juge par son propre cas, répugnent, contre toute évidence, à s'avouer le mal en question et s'efforcent de le croire ignoré de tous les autres. Quelle naïveté de leur part! Et comme ils sont forts, les autres! A parier que le plus simple d'entre eux a plus de choses dans la tête à lui seul que tous les Goazcoz n'en ont eu à travers les temps. Peut-être les mêmes choses, après tout. Ne sont-ils pas les descendants de ces populations légendaires dont on rapporte qu'elles marchaient en armes contre l'océan quand celui-ci se livrait sans frein à ses colères!

Il est donc inutile qu'il se confesse à eux, qu'il sollicite leur pardon pour ses excès. Les ramener à quai. Ensuite, si son cœur tient toujours, il verra bien, avec Nonna (c'est juré!), de quelle manière il convient de finir le mieux. Comment s'appelle donc ce poète pour qui le Christ ascensionnel est celui qui détient le record du monde pour la hauteur? Sans cette maudite brume, Pierre Goazcoz se verrait sourire. Il passe doucement la main sur la tête du mousse Herri, écroulé tout près de lui, qui dort comme un lièvre sans os dans un pâté. Autre sourire. Foutue littérature! Et voilà que plus loin l'immobilité est rompue par une tache blanchâtre qui entame une danse lente et désordonnée. Le temps de se demander ce que c'est et il entend un bâillement. Voilà! C'est Yann Quéré qui se réveille et s'étire. La tache blanche est un mouchoir noué en pansement autour de sa main gauche dont les doigts ont eu des malheurs au cours de la tempête. L'homme se met à genoux, regarde vers l'arrière. Malgré la brume, il

devine que le maître de barque tient sa veille sans
faillir.

— Tu m'appelais, Pierre Goazcoz ?

— Non, tout va bien.

— Alors j'ai rêvé que tu avais besoin de moi.

— Tu as peut-être rêvé juste.

Et il ajoute en français :

— Mais tout dort, et l'armée et les vents et
Neptune.

Yann Quéré s'esclaffe déjà, tout gaillard.

— A la bonne heure. Quand ta nourriture de
collège te fait des renvois dans la gorge, c'est qu'il n'y
a pas à s'inquiéter.

— Non. Tu peux te rendormir, Yann Quéré.

— Je n'ai déjà que trop dormi, sacré fainéant que
je suis. Comme un crabe sous un galet à marée basse.
Et c'est mauvais pour la carcasse de se laisser aller
ailleurs que dans un lit. La mienne me fait douleur
du haut en bas. J'ai dû passer entre les meules d'un
moulin, pas possible autrement. Dis-moi, il n'y a que
nous deux à tenir les yeux ouverts sur ce vieux rafiot ?

La voix hargneuse d'Alain Douguet arrive de
l'avant.

— Tu es seulement le troisième, mon gars, et
depuis cinq minutes à peine. Mais tu ferais mieux de
te rendormir au lieu de débiter des sottises.

— Les sottises font aussi bien marcher la langue
du pauvre homme que la haute sagesse. Et moi, j'ai
grand besoin de dégeler la mienne. Triple nom de
bleu, quelle secouée nous avons prise ! Et où sommes-
nous d'après toi, Pierre Goazcoz ?

— Pour le moment je n'en sais pas plus que toi.
Pourtant, si tu lèves ton nez, tu verras passer là-haut
des reflets faibles, très faibles, mais réguliers. Nous
devons être en bout de portée du phare de Logan,

vers le sud-est je suppose. Si le vent se décide à
souffler, on le saura.

— Il serait temps. Demain matin, je prends mon
vélo et me voilà parti pour voir les vaches dans la
ferme de mon oncle. Je ferai le tour des champs rien
que pour le plaisir de marcher sur du solide. Quand
je pense que le seigneur Dieu a donné quatre pattes
aux vaches pour se tenir debout sur la terre alors que
rien ne tremble sous elles ! Et nous, sur la mer, nous
n'avons que deux pauvres jambes pour danser le
sabbat de l'eau salée. Le monde est mal fait. Mais
j'irai quand même saluer les vaches. Et toi, Alain
Douguet, il est temps que tu prépares de douces
paroles, des paroles au miel pour les oreilles de Lina
Kersaudy, la plus belle fille qui ait jamais claqué des
sabots sur un quai.

— Yann Quéré, dit la voix rauque et furieuse qui
vient de l'avant, écoute ce que je te dis, une fois pour
toutes. Lina Kersaudy, je m'en fous. Magnifiquement.

Ce magnifiquement est le mot de la fin. Alain
Douguet n'en dira pas un de plus à moins que Yann
Quéré ne commette la bévue de hasarder une
demande d'explication. Auquel cas, cela risque de
dégénérer en bataille corps à corps. Ce ne serait pas
la première fois que l'*Herbe d'Or* tremblerait sous les
empoignades. Les gars qui le montent ont la tête près
du bonnet et il n'est pas toujours facile de savoir ce
que couvre le bonnet en question. Mais Yann Quéré
est trop fin luron pour ne pas sentir que sa plaisanterie anodine a caressé l'homme d'avant à rebrousse-
poil. Tout surpris qu'il soit, il n'ouvrira plus la
bouche que pour bâiller. Pierre Goazcoz retourne à
ses songes. Il cherche à se rappeler le nom de ce roi
de Perse qui faisait fouetter l'océan à coups de chaîne
pour le punir d'avoir contrarié ses projets.

IV

Au centre de Logan, il y a une petite place dont les plus mauvais des vents n'arrivent jamais à découvrir l'accès. Quand on s'y trouve, c'est à peine si l'on entend la rumeur des plus fortes marées. La nuit dernière, pourtant, le flot a réussi à s'y infiltrer en force, transportant avec lui diverses épaves arrachées aux installations du port et aux habitations du front de mer. Maintenant qu'il s'est retiré, à regret aurait-on dit, la place demeure jonchée de petits débris dont la plupart ne seront que difficilement identifiables. Les autres ont fait retour à leurs possesseurs légitimes quand ceux-ci estimaient possible d'en tirer encore quelque usage. C'est ainsi qu'un poulailler de bois et fil de fer, échoué contre un mur de jardin avec sa cargaison de poules noyées, a été récupéré ce matin par son propriétaire qui est venu le chercher en charrette à bras. Le plus étonnant fut de le voir accompagné de son coq échappé à la noyade, un superbe animal qui avait pillé un arc-en-ciel pour se faire un plumage. Quand l'homme est reparti en traînant sa cage à poules, le coq, perché sur l'attelage, s'égosillait à réclamer le lever du soleil et peut-être la résurrection de son harem. La pauvre bête attend toujours.

Tout le côté de la place qui donne vers l'ouest

— c'est l'exposition réputée la meilleure en raison des vents dominants — est occupée par l'auberge Kersaudy qui logeait à pied et à cheval il y a quelques années encore et depuis l'Ancien Régime. Il paraît que des gens fort célèbres y ont passé la nuit, qu'ils en ont même témoigné dans leurs lettres ou Mémoires. Quand on en parle à Lich Mallégol, l'actuelle tenancière, elle exagère encore sa voix d'homme pour vous assurer qu'elle ne les a pas connus ni entendu rien dire à leur sujet dans sa famille. On y a conservé pourtant le souvenir d'anciens clients qui n'ont pas laissé le moindre nom dans l'Histoire, mais dont les propos et les aventures, transmis d'une génération à l'autre au hasard des rencontres dans la salle à manger, font encore s'esclaffer les voyageurs d'aujourd'hui que les voitures à feu nommées De Dion-Bouton n'ont pas sevrés du goût des propos de table longuement élaborés. Quant aux personnages notables, cette femme de tête déclare qu'il leur faut bien loger quelque part quand ils sont en route, mais que si l'on s'avisait de mettre une plaque sur tous leurs logis ou leurs auberges de rencontre, il y aurait bientôt plus d'écriture sur les maisons que dans les livres d'Histoire. Et cela nous avancerait à quoi, voulez-vous me le dire ! Là-dessus elle reniflait un bon coup avant de retourner à ses fourneaux. Elle laissait dans la salle, avec les deux petites servantes, sa propre fille Lina Kersaudy, communément appelée au-dehors Lina-Lich, une fort belle chevrette qui savait admirablement parler pour ne rien dire, mais seulement quand elle voulait bien. Lina-Lich avait ses têtes et ses humeurs, mais elle avait appris à se cantonner entre une indifférence polie et une amabilité faussement chaleureuse qui décourageait cependant toute familiarité.

Curieusement, cette attitude attirait et fixait la

clientèle mieux que ne l'aurait fait un empressement servile. Elle flattait les habitués qui avaient l'impression, avec une hôtesse de cette classe, de descendre dans un établissement de haut vol. Pour la même raison, elle plaisait aux passagers qui avaient en outre la satisfaction de se voir traités avec les mêmes égards que les fidèles du lieu. Ou presque, car Lina-Lich jouait sur des nuances perceptibles seulement à ceux qui en étaient bénéficiaires, indiscernables pour les autres. Du grand art, surtout chez une personne aussi jeune qui n'était jamais sortie de Logan que pour deux ou trois ans de bonnes manières chez les sœurs. De sa mère Lich, il est vrai, veuve de bonne heure, elle tenait la fermeté dans le propos et l'assurance tranquille de ceux qui savent toujours se mettre à la hauteur de la situation. Mais la situation de Lich était dans la cuisine où elle confectionnait des nourritures de choix, celle de sa fille dans la salle où elle devisait volontiers avec les voyageurs lettrés, sobrement et précisément, au sujet des grands personnages qui avaient séjourné ou seulement passé une nuit « ici même, dans cette maison ». La fine mouche était allée se documenter en bibliothèque, sachant fort bien que même un voyageur de commerce, pour qui *l'Education sentimentale* est le moindre souci, aimerait se vanter, à l'occasion, d'avoir couché dans la chambre de Flaubert, vous savez bien, l'auteur de *Madame Bovary* ! Et où donc ? A Logan, à l'auberge de Lich Mallégol. Par exemple ! Et de fait, l'anecdote courant de bouche à oreille, Flaubert avait drainé un peu de monde, promettait d'en drainer de plus en plus bien qu'il eût peut-être, en son temps, couché ailleurs. Lich l'avait si bien compris que lorsqu'on l'interrogeait sur les illustrations de son établissement, elle se bornait à répondre en bougonnant : demandez à ma fille, c'est elle qui en tient le compte.

Telle était la conscience de Lina-Lich qu'elle avait désiré lire les œuvres du Flaubert en question. Et à qui s'adresser mieux qu'au fils Goazcoz, celui de la « grande maison » où il y avait tant de livres, disait-on, que le premier étage en était rempli. On les voyait en hautes rangées derrière les vitres de l'ouest qui n'avaient plus de rideaux. Le fils Goazcoz, c'était Pierre, le maître de l'*Herbe d'Or*. Il serait le fils Goazcoz jusqu'à sa fin puisqu'il n'avait pas d'enfant, étant resté célibataire. Malgré de nombreuses démarches des marieurs dans ce pays où les jeunes veuves, hélas, ne manquaient pas. Quand il n'était pas en mer, il prenait assez souvent ses repas à l'auberge de Lich Mallégol. Celle-ci avait pour lui des attentions particulières bien qu'elle ne lui adressât que rarement la parole. Ne disait-on pas, à mots couverts, qu'ayant perdu à la guerre son premier-maître fourrier de mari, elle aurait bien refait alliance avec le fils Goazcoz s'il avait daigné lever les yeux une seule fois quand elle le servait à table ! Cela ne s'était pas fait, mais Lich ne lui en tenait pas rigueur, n'hésitait pas à lui faire enlever son paletot dans la salle à manger pour lui recoudre un bouton ou à le réprimander vertement s'il ne changeait pas de chemise le dimanche. Et le maître de l'*Herbe d'Or* se laissait faire. C'est sur cet homme solitaire et lointain d'apparence que Lina-Lich, à la mort de son père, avait reporté son affection. Elle était âgée alors d'à peine dix ans. Tout de suite, elle l'avait appelé parrain et avec une telle constance naturelle que lui-même, au bout de quelques mois seulement, se surprit à parler de sa filleule. Mais s'il avait de l'affection pour la gamine, il n'en témoigna jamais autrement qu'en lui posant la main sur la tête ou lui tapotant la joue qu'elle détournait vivement car elle aussi se gardait de toute effusion à l'égard du maître pêcheur. Ah si ! Quelquefois, quand elle le servait à table, devenue jeune fille, elle se permettait de feuilleter, sans un mot, un de ces livres qu'il avait toujours avec lui quand il venait déjeuner ou dîner. Et le parrain, son repas terminé, au moment de partir, mettait le livre dans les mains de sa filleule avec un sourire avant de lui toucher le coude en signe de complicité. Sans un mot. Si Lina-Lich rapportait le livre au bout de quelques jours et le replaçait sur la table, le titre en dessous, cela signifiait qu'elle ne s'y était pas intéressée, auquel cas Pierre Goazcoz remportait l'ouvrage à la « grande maison » et ne l'en faisait plus jamais sortir. Le titre en dessus, au contraire, voulait dire que la jeune fille désirait garder plus longtemps, et peut-être ne jamais rendre, un livre qui lui avait plu pour des raisons qu'elle n'avait pas à dire. Et Pierre Goazcoz « oubliait » de reprendre le livre en question qui disparaissait, à peine avait-il le dos tourné, dans la grande poche du tablier blanc de Lina-Lich.

Celle-ci, du reste, n'était pas une grande liseuse, ni une intellectuelle, comme on dit. Si elle avait voulu faire des études, c'était facile, sa mère avait de quoi. Mais Lina ambitionnait de succéder à Lich, c'était sûr. Et elle avait sur l'hôtellerie des idées à elle qui seraient appliquées en temps opportun. Quoi qu'il en soit, le code muet dont il a été question plus haut lui avait fait obtenir *Madame Bovary* sans même avoir à demander le livre. Simplement, en répondant à des voyageurs attablés non loin de Pierre Goazcoz et désireux de savoir si Flaubert et Maxime Du Camp étaient passés par Logan au cours de leur voyage en Bretagne (ah, ces maniaques d'histoire littéraire !) elle avait ajouté qu'elle aimerait lire cette *Madame*

Bovary dont ses clients instruits lui faisaient les plus grands éloges. Le lendemain même, le livre était là et le code fonctionnait à la perfection. *Madame Bovary* ne reparut jamais. Jamais non plus Lina-Lich n'y fit allusion elle-même. Quand on la poussait dans ses retranchements — décidément, il y avait de plus en plus de flaubertiens à passer par l'auberge — elle avouait avoir lu le livre mais s'excusait sur son incompétence et s'empressait de faire diversion en vantant les mérites de ces modestes bestioles côtières que l'on commençait seulement à exalter sous l'appellation de « fruits de mer ». A ceux qui lui assuraient que le grand Gustave n'avait pas pu faire étape ailleurs que dans l'auberge de ses arrière-grands-parents, celle de sa mère aujourd'hui, la sienne demain, elle répondait sèchement, la figure fermée : on dit ça. C'était immanquable. Le doute qu'elle émettait de la sorte affermissait les questionneurs dans leur conviction. Peut-être était-ce là ce que voulait la fine mouche. Elle savait qu'ils ne manqueraient pas de se féliciter d'en savoir plus que la fille de l'auberge qui leur faisait l'effet d'être un peu sotte malgré cette curieuse distinction, explicable sans doute par le somptueux costume à coiffe qu'elle portait imperturbablement tous les jours, le même que celui de toutes les filles de la côte à l'exception de celles qui poursuivaient des études en ville. Et ces messieurs-dames n'insistaient jamais beaucoup. Pour ne pas gêner la petite, n'est-ce pas ! Autant de gagné. La petite leur accordait exactement la portion de sourire qu'elle avait décidé d'ajouter aux fruits de mer et aux phrases obligées en français avec l'accent sur l'avant-dernière syllabe fortement appuyé pour pimenter le discours. Et puis elle s'adressait en breton à son parrain Goazcoz, installé à la table voisine, et qui passait aux yeux des étrangers pour un brave loup de mer local, avec sa figure rougeaude, ses grosses mains, son veston bleu trop serré et sa maladresse naturelle dans le maniement de la fourchette, pas vrai, monsieur l'ex-ingénieur en chef ! Il y avait même des peintres qui lui avaient demandé de poser pour eux. Ce qu'il avait fait de bonne volonté. Il devait figurer à l'huile et en gros plan dans quelques salles à manger ou salons bourgeois comme le pêcheur breton typique et pris sur le vif. Ce qu'il était aussi sans discussion possible pour ce qui concernait son enveloppe charnelle. Et il buvait son vin rouge en enveloppant son verre à cul des quatre doigts serrés et du pouce comme on croche dans un aviron.

Tout ce manège n'était pas méchant, cette comédie n'était désobligeante pour personne car il aurait fallu être bien fin pour se rendre compte qu'il y avait jeu. Un jeu que les acteurs se jouaient pour eux-mêmes et où tous les autres servaient de figurants ou de leurres pour faire diversion. A peine si la connivence était marquée par le frémissement d'une commissure des lèvres de Lina auquel répondait un craquement des phalanges de Pierre Goazcoz. Cela faisait partie de leur code d'entente. Si quelqu'un d'autre venait à y prêter attention, cela passait pour des tics sans signification. A vrai dire, Lich Mallégol connaissait tous ces symboles gestuels, les utilisait pour sa propre communication en public avec sa fille et le parrain, les enrichissait de quelques variantes de son cru que les deux autres déchiffraient fort bien. Nonna Kerouédan, lui aussi, était au courant du code entier. Il avait le privilège d'être le spectateur unique du jeu mais il n'y prenait aucune part. Discrétion sans doute, mais souci avant tout de s'en tenir à ses relations privées avec Pierre Goazcoz qui était le seul à l'intéresser. Les comptes des deux femmes avec le

maître de l'*Herbe d'Or* n'empiétaient pas sur les siens.
Au demeurant et à première vue, ces quatre-là
étaient des gens très ordinaires.

L'auberge des Kersaudy était une longère en
pierre de taille dont la partie la plus ancienne datait
de loin. C'était d'abord un quadrilatère de bâtiments
autour d'une cour dans laquelle on entrait par une
porte cochère sommée d'un pigeonnier en ruine. Les
bâtiments avaient longtemps servi de charretteries et
d'écuries, peut-être de grange à dîme. Mais, depuis
que les fardiers et les chars à bancs se faisaient rares,
la plupart d'entre eux restaient vides derrière leurs
hautes portes déjetées ou disjointes. Restaient en
service deux ou trois locaux ouverts dont les premières automobiles trouvaient le chemin à travers la
grande cour envahie d'herbe et encombrée d'instruments agricoles tout mangés de rouille. Accolé à cet
ensemble, un manoir plus récent à petites fenêtres et
toit ensellé qui avait été relais de poste et gîte à
rouliers avant de servir de resserre pour diverses
provisions. Enfin, toujours dans l'alignement, venait
l'auberge neuve, construite à la fin du dix-neuvième
siècle par le père du premier-maître fourrier Kersaudy. C'était un épais bâtiment double à étage qui
avait fait sensation à l'époque parce qu'il disposait de
huit chambres pour voyageurs, ce qui était manifes-
tement beaucoup trop. Mais le vieux Kersaudy
voyait grand. Marchand de bestiaux, n'arrêtant pas
de fréquenter les foires et de courir les routes, il
rencontrait de plus en plus de bourgeois fortunés qui
parcouraient la Bretagne pour leur seul plaisir, voyez
donc ! Ils amenaient même leur famille se baigner
dans la mer après l'avoir revêtue d'invraisemblables
oripeaux rouges. On ne les voyait encore que dans
certains endroits huppés, c'est entendu, mais ils
finiraient bien par arriver tout au bout de la pénin-

sule où se trouvait Logan avec assez de mer pour leur
laver les fesses à tous. Depuis le troisième Napoléon,
le train arrivait jusqu'à Quimper, il était question de
le faire aller jusqu'à la côte en plusieurs endroits.
Peut-être jusqu'à Logan, après tout. Kersaudy s'était
rendu à la gare pour voir débarquer les voyageurs
désœuvrés. Inimaginable le nombre d'hommes, de
femmes, d'enfants que pouvait charrier un pareil
convoi. Imaginables, pour quelqu'un d'avisé, les
sommes d'argent qu'on pouvait gagner honnêtement
avec eux. Au bout des vieux bâtiments qui lui
venaient de sa femme, il avait fait élever le grand
logis à huit chambres. Il était en train de mettre sur
pied un service de liaison entre la gare et ses huit
chambres quand un cheval vicieux mit fin à son
aventure d'un seul coup de botte. Il avait eu le
déplaisir de voir son fils unique s'engager dans la
Royale, mais la revanche inattendue de découvrir
dans la femme du marin, sa bru, un talent remarqua-
ble pour la cuisine et un don particulier pour
s'attacher la clientèle en la menant tambour battant.
Si les huit chambres n'étaient pas occupées tous les
jours, il s'en fallait déjà de peu. Quand le vieux
Kersaudy fut expédié dans un monde où il doutait de
pouvoir exercer son esprit d'entreprise, il était déjà
question de bâtir une annexe entre cour et jardin.
Lich aurait réalisé ce projet si la guerre n'avait pas
éclaté mal à propos, faisant péricliter durement son
commerce et lui tuant son mari pour faire bonne
mesure. Le premier-maître fourrier ne lui avait laissé
qu'une fille, la petite Lina qui devint dès lors Lina-
Lich, du prénom de sa mère, son père ayant eu la
malchance de disparaître trop tôt et sans avoir laissé
de traces mémorables derrière lui à l'exception de
cette fille sur laquelle on retrouvait fugitivement ses
traits quand elle se laissait aller à la douceur. C'était

un très bel homme, soupirait-on, mais rêveur et beaucoup trop bon. Il aurait donné sa chemise sans savoir à qui. De sa femme Lich, une étrangère qu'il était allé chercher à plus de quinze kilomètres de Logan et au-delà de la rivière, il n'y avait pas de mal à dire sinon qu'elle était d'une autre farine que lui. Sitôt mariée, elle avait pris les rênes du gouvernement. Son époux aurait peut-être voulu l'emmener avec lui à Brest ou à Toulon, mais elle avait décidé de « faire tourner » l'auberge du vieux Kersaudy, ne redoutant rien tant que de rester inactive, à s'étourdir de café, de bavardages et de gâteaux secs avec les autres femmes de sa condition en attendant le retour du marin. Elle avait si bien fait que déjà du vivant de son beau-père (qui ne jurait que par elle) l'hôtel-restaurant n'était plus connu que sous son nom de jeune fille à elle : c'était chez Lich Mallégol. Et sa fille Lina, de bonne heure, avait manifesté d'heureuses dispositions pour prendre sa suite quand elle déciderait de lui céder la place. Tout aurait donc été pour le mieux si la jeune Lina-Lich n'avait pas connu, de loin en loin, des moments d'absence rêveuse qui la faisaient se désintéresser de son travail. Alors apparaissait sur elle, au féminin, le masque de son père. Lich en était émue et inquiète à la fois.

Ce soir, précisément, la jeune fille semble nourrir d'obscures nostalgies. Ce n'est pourtant pas le travail qui lui manque. L'un des effets du raz de marée a été d'ameuter les journalistes toujours à l'affût de l'exceptionnel et friands de l'officiel, le ministre de la Marine arrivant demain à Logan avec dans sa poche un discours qui, paraît-il, fera date. Les huit chambres sont la proie des plumitifs, parfois à deux dans le même lit. On en annonce d'autres pour demain. Il a fallu improviser des couches de fortune dans les couloirs. Les journalistes sont des gens qui parlent fort, qui déplacent beaucoup d'air, étourdissent les deux servantes en leur parlant un français qui n'est pas exactement celui de l'école. Pour couronner le tout, c'est la nuit de Noël qui vient et ces gens, à défaut d'un réveillon à la mode bourgeoise, aimeraient festoyer un peu hors de l'ordinaire tout en parlant métier et politique. On ne se couchera pas de bonne heure, c'est sûr. Pourvu qu'il n'y ait pas trop de bruit chez Lich Mallégol ! Pourvu qu'une joie intempestive n'offense pas les habitants de Logan dont plus de la moitié veillera toute la nuit dans les maisons dévastées ! Bien sûr, les gars des journaux ne peuvent pas prendre le deuil pour toutes les catastrophes dont ils ont à rendre compte, pas plus que les médecins pour tous leurs patients qu'ils voient mourir. Allons ! Lina-Lich leur fera dresser des tables d'apparat, sa mère est déjà penchée sur ses fourneaux. La vie n'en finit pas de continuer. La vie injuste. Ce sont toujours les plus pauvres qui sont les premières, parfois les seules victimes des fléaux naturels. Ainsi, alors que les modestes logis de pêcheurs ont été ravagés par des tonnes et des tonnes d'eau de mer arrivant de plein fouet, c'est à peine si, dans l'hôtel, l'inondation a gâté les parquets du rez-de-chaussée. Lina-Lich se sent coupable de n'avoir pas été victime autant que ceux qui ont subi les plus gros dommages. Elle n'est pas meilleure qu'une autre, elle connaît bien les limites de sa générosité. Elle n'est même pas bonne, à vrai dire, mais elle entend déjà les paroles fielleuses qui passeront demain à travers les dents de plus mauvais qu'elle à propos de ceux qui en ont déjà trop et qui en gagnent encore à l'occasion du malheur d'autrui.

Mais pourquoi nourrit-elle des pensées aussi désa-

gréables sinon pour éloigner de son esprit cette
évidence qu'elle refuse de reconnaître : elle risque de
payer plus que sa part de la catastrophe qui semble
n'avoir épargné sa maison que pour mieux la frapper
elle-même puisque sur la seule chaloupe dont on est
sans nouvelles il y a son parrain d'élection Pierre
Goazcoz et cet autre-là, Alain Douguet...

Elle va s'appuyer le front contre une fenêtre et son
regard se perd dehors. La brume l'empêche de
distinguer les maisons d'en face, l'épicerie, la merce-
rie, la boulangerie, le bureau de tabac qui d'habitude, à cette heure-ci, sont encore en activité, éclairées par les hautes lampes à pétrole qu'on n'empor-
tera dans les cuisines, derrière, qu'au moment de
manger la soupe, après avoir poussé le verrou de la
porte marchande. Et l'on ne ferme en réalité que
pour aller au lit. Le « verrou de la soupe », comme
on dit, il suffit que quelqu'un toque à la devanture
pour qu'il soit tiré, la porte ouverte par la commer-
çante presque aussitôt apparue, la lampe levée au-
dessus de la coiffe pour reconnaître le tardif client
(plus souvent une femme aussi) et achevant de
mâchonner une bouchée de quelque chose. Dans les
jours ordinaires, Lina-Lich aime bien s'accorder une
minute de temps à autre pour regarder le manège
d'en face. Ce n'est pas qu'elle soit curieuse, chacun
sait qu'il n'y a indiscrétion répréhensible que lorsqu'on rapporte des paroles ou des actes dont on a été
le témoin autorisé ou non. Et quand on est dans le
commerce de bourg, il vaut mieux se prétendre sourd
et aveugle à défaut d'être muet. Non, Lina-Lich aime
voir les gens manœuvrer sous ses yeux sans qu'elle
soit dans le coup. Leur tenue de corps en marche et
au repos, leurs gestes, même et surtout vus de loin,
mentent moins que leurs discours. De mensonge ou
de vérité d'ailleurs, elle n'a rien à faire que pour sa

propre gouverne, personne n'en aura la confidence.
Ni sa mère Lich ni Pierre Goazcoz. D'ailleurs, eux
trois, que font-ils sinon s'observer mine de rien et
sans un mot ? Et il n'y a personne dans le secret, à
moins que Nonna Kerouédan... En voilà un qui doit
se ronger d'inquiétude à cause de l'*Herbe d'Or*. Et il
doit savoir des choses que Lina ne sait pas. Elle
aimerait bien qu'il sorte de la brume, le vieil homme
aux yeux bleus, qu'il ouvre timidement la porte
comme à chaque fois qu'il ne peut pas tenir tout seul,
et qu'il demande à voix discrète : est-ce que Pierre
Goazcoz est chez vous ? Le parrain aussi a les yeux
bleus. On ne regarde jamais assez les yeux des
hommes. Quelle couleur ont ceux de ce Douguet ?
Pas bleus, en tout cas. Cela vaut peut-être mieux.
  Elle aimerait bien que quelqu'un vienne pour la
tirer de cette ornière. N'importe qui, messager de
n'importe quoi. Qu'on sache où l'on en est avec
l'*Herbe d'Or* et tous ses hommes. Tiens ! Les yeux de
Yann Quéré, celui qu'on appelle le paysan, elle les
voit aussi distinctement que s'il était devant elle. Ils
sont couleur de terre humide. Des yeux qui ren-
draient une femme irrésistible, c'est vrai pourtant.
Ceux de Corentin Roparz, elle ne se rappelle pas les
avoir jamais vus, il les tient toujours baissés, il est
ailleurs, cet homme. Et puis, c'est assez pensé à
l'équipage du parrain.
  Diluée dans la brume, avec cependant un noyau
solide, une seule lumière émane de l'autre côté de la
place. Ce ne peut être que le bureau de tabac. La
mercière a pris peur après l'énorme déferlement de la
nuit passée, elle est partie dans les terres chez son fils.
Il y a déjà deux heures que le boulanger n'a plus une
miche de pain à vendre. Les épiciers, mari et femme,
ont pris le car avant midi pour aller s'approvisionner
à Quimper. Le car, c'est vrai ! Il aurait dû être arrivé,

mais avec ce brouillard... C'est lui qui assure cette liaison avec le train que le grand-père Kersaudy, ce précurseur, voulait déjà établir. La voiture a été achetée d'occasion par le fils du bureau de tabac qui est revenu de la guerre avec un permis de conduire les véhicules automobiles. C'est une caisse en bois sur quatre roues et un moteur devant, assez semblable aux voitures des romanichels. Elle est seulement éclairée par une fenêtre de chaque côté et une petite vitre sur l'arrière. Le propriétaire — il s'appelle Joz — a fait de bonnes affaires avec cette guimbarde. Il en achèterait facilement une autre plus moderne, mais il lui faut attendre que ses clients s'habituent à la vitesse qui est supérieure à celle d'une charrette anglaise tirée par un bon cheval. Ceux qui montent les premiers dedans s'emparent des places les plus éloignées des fenêtres pour ne pas risquer l'étourdissement à force de voir défiler la route à une telle allure. Si bien que pour qui regarde, de dehors, passer le car de Joz, il a souvent l'air d'être vide car il n'y a aucun visage derrière les vitres, sauf quand Joz ramène des cols bleus en permission qui n'ont peur de rien sauf de mourir d'une rétention de grimaces. Le seul ennui sérieux est que le car, de plus en plus, a une fâcheuse tendance à rester en panne. Joz arrive à le remettre en marche au bout d'une demi-heure ou deux. Il en profite pour déclarer avec énergie qu'il est grand temps de remplacer cette caisse à bestiaux de foire — ce sont ses propres termes — par un vrai carrosse à chrétiens, ajoutant qu'il est décidé à le faire avant peu si... Et il attend que ses voyageurs l'encouragent dans son projet. Mais presque tous le laissent dire sans piper mot. On le soupçonne même un peu de provoquer exprès des pannes pour avoir une bonne raison de remplacer sa voiture. Mais les pannes répétées, s'il faut en croire les passagers ordinaires de Joz, font partie des aléas du voyage. Pour les faire s'impatienter un peu, il faudrait qu'il se décide à les abandonner carrément à mi-chemin en plein hiver, par une pluie battante ou un brouillard comme ce soir. Justement, c'est peut-être ce soir qu'il s'est résolu à le faire car il tarde encore plus que d'habitude. Il n'y a pas de quoi s'inquiéter pour lui. Ni pour l'*Herbe d'Or*, n'est-ce pas? Mais qu'est-ce que l'*Herbe d'Or* aurait à voir avec le car à Joz?

Lina-Lich aime bien Joz parce qu'il n'a jamais cherché à lui faire le plus menu brin de cour, bien que la redoutable mère du jeune homme ne cesse de clamer à tous les échos que l'héritière Kersaudy est la seule femme qui pourrait convenir à son fils. La plaisanterie habituelle qui réjouit tous les jeunes gens de leur âge — à l'exception d'Alain Douguet, cependant — c'est d'entendre Lina demander à Joz : quand nous marions-nous? Et Joz de répondre, l'air fâché : ma mère nous a déjà mariés depuis longtemps. Que vous faut-il de plus, Lina? Soyez donc raisonnable.

Le pauvre Joz risque bien de mourir vieux garçon avec la mère qu'il a. Sa sœur et son frère ont dû s'en aller au diable pour se marier selon leur envie. Lui, s'il est resté, c'est à cause de son père, Henri Manche-Vide. C'est un ancien marin de la flotte qui a perdu un bras dans un débarquement tropical d'avant-guerre. Sa femme, qui ambitionnait pour lui les mêmes galons, au moins, que le fils Kersaudy, ne lui avait jamais pardonné sa déception. C'est une grande haridelle sèche, les lèvres minces et les yeux durs, qui s'emportait sans raison contre le pauvre homme presque tous les jours jusqu'à en arriver au bord de la syncope. Tout Logan, hors de sa présence, la désignait sous le nom de Kounnar Yen (Colère Froide). Elle avait cantonné son mari dans cette cage grillagée que l'on ne trouvait plus que dans quelques bureaux de tabac du vieux style. A longueur de journée, il y coupait la chique, pesait la prise, dispensait le gros-cul ou le scaferlati avec sa main unique pendant que sa virago servait les buveurs du comptoir ou les ménagères en quête de quincaillerie, s'étant déconstipée de son mieux pour arborer un semblant de sourire qu'elle estimait indispensable au commerce. Quand elle devait s'absenter par nécessité, elle enfermait Henri Manche-Vide dans sa cage grillagée qui avait une porte à serrure. Il ne pouvait qu'y faire son travail de buraliste et surveiller le reste de la boutique, mais non pas vendre un moulin à café ni surtout servir le vin rouge à ses amis. Dans les premiers temps de son incarcération, ceux-ci avaient bien insisté pour qu'il boive un coup avec eux, même s'il fallait lui passer son verre par le guichet. Mais la dame avait poussé les hauts cris, prétendant que la santé du manchot était si fragile que le moindre alcool pouvait lui être fatal. On ne l'avait pas crue, bien sûr, on avait si bien manœuvré que le buraliste en cage était entré en possession d'un verre plein qu'il avait asséché cul sec sans demander son reste. Alors la mégère avait donné le spectacle de sa colère froide : le peu de sang qu'elle avait s'était retiré de toute sa chair visible, ses yeux s'étaient horriblement exorbités, elle était tombée à terre d'un bloc, aussi raide qu'une planche. Il lui avait fallu un bon quart d'heure pour triompher de sa propre fureur. Trois ou quatre accès de ce genre avaient découragé les amis de vouloir adoucir la captivité de l'ancien marin de guerre. De loin en loin, ils apparaissaient encore au comptoir de sa femme, mais ils se bornaient désormais à lever leur verre à sa santé sans jamais plus tenter de lui mouiller la gorge. Il n'y avait que Joz qui fût autorisé, mais non pas en public, à procurer

quelques douceurs à son père sans qu'elle montât sur
ses grands chevaux. Encore lui avait-il fallu la
menacer de quitter définitivement la maison pour
qu'elle se décidât à céder sur quelques points secon-
daires. Quant à Manche-Vide, il ne vivait plus que
pour entendre le coup de trompe qui marquait le
retour du car de Joz.

Il finit toujours par arriver. Ce soir il est encore
plus en retard que d'habitude, mais enfin le voilà.
Les deux lanternes blafardes avancent avec lenteur
dans la crasse de brume, annoncées par le halètement
du moteur et divers bruits de ferraille à demi
absorbés par le temps qu'il fait. Derrière Lina,
toujours à sa fenêtre, les deux servantes s'arrêtent de
mettre le couvert pour venir jeter un coup d'œil sur
l'événement du soir. Elles ne sont pas pressées, les
clients-journalistes sont répandus dans les quelques
cafés du port qui ont rouvert vaille que vaille, en
train de s'informer de leur mieux sur la vie quotidienne des pêcheurs et de rassembler des précisions
sur le raz de marée. Ils seront en retard pour dîner.
Ils resteront le plus longtemps possible sur le front de
mer car ce n'est pas chez Lich Mallégol qu'ils
sauront de quoi il s'agit exactement. Ici, on se
croirait dans un bourg terrien, on a de la peine à se
figurer que l'énorme océan est à quelques dizaines de
pas. Même ce car branlant qui vient de s'arrêter au
milieu de la place sur un coup de trompe étouffé, on
dirait bien qu'il revient de quelque marché paysan,
rapportant sur son toit un amoncellement de
paquets, de sacs de chanvre, de paniers d'osier et de
caisses à claire-voie. A part le conducteur et un autre
homme qui est l'épicier, il n'en descend que des
femmes en coiffes campagnardes qui sont pourtant
des épouses de marins-pêcheurs. Lina-Lich, malgré
le brouillard, les reconnaît toutes, les deux servantes

aussi qui retournent à leur travail. Pas de nouveau client ce soir. La jeune fille entrouvre la porte de la cuisine pour le crier à sa mère avant de sortir sur la place où elle n'a rien à faire, croit-elle, sinon trouver une diversion aux pensées qu'elle s'efforce d'écarter depuis des heures. La réalité du car de Joz pourra conjurer pour un temps l'ombre obsédante de l'*Herbe d'Or* avalé par les Limbes.

Dehors, malgré le froid, ses sabots de bois à brides ne font pas sur le sol le claquement habituel. Toute la place est recouverte d'une couche de sable apportée par l'assaut de la marée. Autour du car, sur lequel est monté Joz pour descendre les bagages, on n'entend que de rares paroles. La gravité du jour et la désolation des lieux si proches incitent les femmes à réprimer les éclats de voix. Même les plus fortes en gueule paraissent intimidées. Elles se rangent sagement sur le côté de la voiture, chacune levant les bras pour recevoir ses affaires dès qu'elle les reconnaît aux mains de Joz là-haut.

Quand Lina-Lich arrive près de leur groupe, l'épicière lui souffle : la voilà ! Et du menton elle désigne la portière du car où s'encadre une jeune femme habillée à la paysanne d'un costume noir sur lequel tranchent en clair un tablier à piécette et une collerette brodée à plat. La coiffe est une cornette. A voix basse Lina-Lich demande, mais elle sait déjà :

— Qui est-elle ?

— La femme de Corentin Roparz, de l'*Herbe d'Or.*

Et voilà l'un des tours que s'amuse à vous jouer votre planète. Est-il bon, est-il mauvais, à vous de savoir, mais quand vous le saurez, il sera trop tard pour vous mettre en garde. Vous avez tout essayé pour vous vider la tête de certaines pensées lancinantes, pour effacer certaines images sur l'écran obsédant de votre mémoire. Et dès que se produit le moindre incident, le plus banal, le plus quotidien, qui devrait vous faire échapper à vos soucis au moins pour le temps de sa durée, c'est lui qui les redouble et les fortifie en les incarnant dans une fille de la montagne. Aviez-vous besoin de guetter ce car, de sortir de chez vous pour lui tourner autour, sans attendre qu'il ne reste plus sur la place que votre ami Joz l'inoffensif ? Et ce Joz de là-haut, ce brave garçon de Joz, finissant de vider le toit de sa guimbarde, voilà qu'il crie à la voyageuse :

— Attendez-moi donc ! Je vais vous conduire où vous allez.

Lina-Lich est à côté d'elle quand elle lève vers Joz un visage un peu large, mais aux traits d'une impressionnante régularité, éclairés d'un demi-sourire qui en atténue la rigueur. On entend une voix profonde, un peu sourde.

— Ne vous dérangez pas, je trouverai bien. Vous m'avez expliqué comme il faut.

— Avec ce brouillard ce n'est pas facile. Il n'y a plus beaucoup de maisons qui ont de la lumière et le chemin du bord de mer est dangereux, passé le quai. Attendez-moi, j'en ai fini.

Lina-Lich s'entend crier aussitôt, c'est plus fort qu'elle :

— Laissez-la-moi, Joz. Je la mènerai où elle veut.

— C'est très bien, Lina, dit Joz, et sa voix est presque grave, à lui qui aime tant plaisanter quand il peut. Mais d'abord, il lui faudrait un bon bol de café chaud et peut-être une soupe. Il a fait un froid noir dans mon sacré camion, moi-même je suis transi. Et là où elle va, il n'y aura peut-être pas de feu.

La jeune femme regarde alternativement Lina-Lich, tout près d'elle, qui l'a prise par le coude et le gars Joz là-haut, debout, les bras ballants sur son toit. Elle sourit toujours.

— S'il n'y a pas de feu, j'en allumerai, dit-elle. Et quant au froid, il est encore plus vif chez nous, dans la montagne. Mais pour le café, je veux bien. Mon mari me dit que je l'aime presque autant que les femmes d'ici. Ce qui est sûr, c'est que vous êtes de bonnes gens, dans ce pays.

— Aussi mauvais que les autres, bougonne Joz, et il se met en devoir de descendre. Quelquefois pires. Cela dépend avec qui.

— Venez vous réchauffer, dit Lina, ensuite nous verrons. Vous êtes la femme de Corentin Roparz, n'est-ce pas ! Je m'en suis doutée quand j'ai vu votre coiffe.

— Oui. Mon nom est Hélèna Morvan. Presque le même nom de baptême que vous puisque j'ai entendu qu'on vous nommait Lina. Seriez-vous Lina Kersaudy, la fille de Lich Mallégol qui tient l'hôtel ici, à Logan ?

— C'est moi-même. Mais comment me connaissez-vous ?

— Je connais tous ceux que mon mari fréquente. Il n'arrête pas de me parler de vous tous, quand il vient.

— Corentin vous parle ? C'est drôle. On n'entend pas souvent le son de sa voix.

— Je suis sa femme.

— Bien sûr. Je ne voulais pas vous offenser. Il faut venir vous mettre au chaud. Ma maison est en face, voyez ! Les trois fenêtres éclairées en bas. Venez donc !

Comme Hélèna hésite, Lina la prend par le bras et la pousse énergiquement de l'épaule. La femme de la montagne est intimidée par les trois fenêtres derrière lesquelles on voit distinctement s'affairer les deux servantes autour de tables couvertes de nappes.

— Vous avez même l'électricité, dit-elle.

— Pas depuis longtemps. Mais c'est bien commode quand on tient commerce. Corentin Roparz se plaît bien chez nous. Il vient manger de temps en temps avec Pierre Goazcoz qui est presque pensionnaire et tout à fait vieux garçon. Les deux autres viennent aussi mais moins souvent. Ils ont leurs habitudes sur le port.

Elle fait ce qu'elle peut pour dissiper la gêne d'Hélèna. Elles sont arrivées à la porte quand celle-ci fait entendre un petit rire vite réprimé.

— Vous n'allez pas me croire, Lina, mais je n'ai jamais mis les pieds dans un hôtel. Est-ce que je saurai me tenir dans un pareil endroit ? Je ne voudrais pas vous faire honte avec mes manières de paysanne.

— Autant que je sache, elles valent bien celles des bourgeois. D'ailleurs, il n'y a encore personne, c'est trop tôt pour le dîner. Et enfin vous n'entrez pas dans un hôtel, mais chez ma mère et moi. Nous avons une petite salle pour nous deux.

— J'aimerais bien saluer votre mère.

— Vous la verrez sûrement.

Elles sont entrées dans l'auberge de Lich Mallégol que tout le monde, à Logan, appelle un hôtel parce que cela fait mieux quand on parle français, cela pose le pays aux oreilles des étrangers. *Nous avons un hôtel, ici, à Logan.* Mais on commence à user également du mot quand on parle breton, c'est-à-dire à peu près toujours, et cela déplaît à Lich. Avec un nom pareil, sa maison a l'air d'être réservée aux voyageurs, elle va être progressivement désertée par les gens du pays qui ne s'y sentiront plus à leur aise si elle est envahie par les bourgeois à chapeaux mous. Elle a refusé de faire peindre une enseigne hôtel-restaurant au-dessus de sa porte. Ceux qui savent sont les bienvenus, les autres peuvent passer leur chemin. Elle n'aimerait pas que « chez Lich » devienne seulement l'hôtel Kersaudy. D'autant plus que les Kersaudy, c'est triste à dire, il n'en reste plus un seul.

Maintenant Hélèna est installée sur une chaise rembourrée, dans la petite salle à manger toute neuve de Lich et Lina. Les meubles de famille sont exposés dans la grande salle où certains clients s'extasient devant les armoires de châtaignier constellées de clous de cuivre et les bancs à dossier sculptés à la marque du Saint Sacrement. Il est même question de transformer en vaisseliers les deux lits-clos qui sont relégués dans l'une des anciennes écuries. Plusieurs marchands d'antiquailles sont déjà passés et repassés, renchérissant les uns sur les autres pour emporter ces façades moisies des couches ancestrales. A vrai dire, les deux femmes les auraient données pour rien, mais puisqu'on leur en proposait de l'argent, leur flair de commerçantes les avait mises sur la défensive. Elles avaient conservé leurs vieilles planches en se disant qu'on ne sait jamais et acheté une salle à manger moderne en noyer ciré pour leur propre usage. Et c'est le noyer ciré qu'Hélèna Morvan admire sincèrement, le corps un peu gêné dans son équilibre par le rembourrage de la chaise et les mains croisées sur la sacoche de toile cirée qui est son seul bagage. Lina-Lich l'a laissée pour aller chercher le café chaud avec tout ce qui l'accompagne et qui n'est pas peu de chose quand on veut faire honneur. Mais lorsqu'elle revient avec tout ce qu'il faut, ce n'est plus la jeune fille de tout à l'heure. Son visage est très pâle et ses mains tremblent si fort qu'Hélèna se lève, stupéfaite, abandonnant la sacoche, et la soulage de son plateau avant que celui-ci ne s'écrase au sol avec tout son chargement.

— Qu'avez-vous, pauvre chère ? Que vous est-il arrivé ?

Lina parvient à s'asseoir. Elle respire très fort, la tête baissée. Quand elle la relève, c'est pour regarder l'autre avec des yeux où la stupéfaction le dispute à la colère.

— Il m'est arrivé de rencontrer une femme qui parle tranquillement de choses sans importance alors que son mari est déjà porté disparu en mer. Aucune nouvelle de lui et elle va boire son café comme si de rien n'était. Croit-elle qu'une petite chaloupe puisse durer dans une tempête comme celle de la nuit dernière ?

Hélèna Morvan a posé le plateau sur la table en noyer ciré. Elle se baisse pour ramasser la sacoche, se relève et la tient à deux mains contre son ventre. Puis elle parle d'une voix égale, avec cet accent un peu âpre de la montagne qui donne aux mots leur juste poids alors que les gens de Logan chantent si bien leurs voyelles qu'on a du mal à saisir, du dehors, s'il s'agit de drame ou de comédie.

— Je ne sais pas bien ce que c'est qu'une chaloupe. Je suis une femme de la campagne. Il est arrivé que me voilà mariée à un homme d'ici qui a son métier sur la mer. Mais je suis restée dans mon hameau des Montagnes Noires où je cultive deux petits champs pour nourrir une vache. Mon mari revient le plus souvent qu'il peut, entre deux marées, dit-il. Il s'assoit dans sa maison et il me parle, lentement et longtemps, de la pêche et des pêcheurs, et de ce port et de la mer que je ne connais pas. Et moi, je l'écoute parler. Il est si calme, si fort, si maître de tout que l'océan lui-même ne pourrait pas en avoir raison. Je suis tranquille.

— Et pourquoi donc êtes-vous là, ce soir ?

— Vous feriez bien de verser le café, il va refroidir. Si je suis là, ce soir, c'est d'accord avec lui. Il devait venir me chercher à Quimper autour de midi, à un endroit convenu, et me ramener à Logan où nous devons passer la nuit chez la mère d'Alain Douguet, son camarade.

— C'est là que vous allez ?

— Oui, c'est là qu'il a sa chambre. Marie-Jeanne Quillivic, la mère d'Alain, trouvait sa maison trop grande depuis que...

— Je sais. Et vous n'avez pas trouvé Corentin au rendez-vous.

— Non. Pendant que je l'attendais, j'ai regardé le journal. C'était marqué dessus qu'il y avait eu un raz de marée par ici et qu'on était sans nouvelles de l'*Herbe d'Or*. Il fallait donc que je me débrouille toute seule pour venir. Le bateau a été retardé par les mauvais vents, sans doute, ou par quelque chose qui n'allait pas bien. Mais Corentin sera là tout à l'heure, n'importe comment. Il m'a dit qu'il ne manquerait plus jamais la messe de minuit. Et c'est un homme de parole.

— Vous m'étonnez bien, Hélèna. Je croyais qu'il ne fréquentait pas beaucoup les églises.

— Je n'ai pas dit qu'il le faisait. J'ai seulement parlé de la messe de minuit. Allons ! Il faut que je me presse d'aller chez Marie-Jeanne Quillivic. Pourvu qu'il ne soit pas encore arrivé.

— Il vaudrait mieux souhaiter qu'il soit déjà là, pauvre femme.

— Non, je dois être à l'attendre quand il viendra. Sinon cet homme aura de la peine en pensant que je n'ai pas eu confiance et que je suis restée chez moi. Je lui ai déjà trop désobéi.

— Trop désobéi ?

— Oui. Il m'avait bien recommandé de ne pas lire le journal. Et je l'ai lu quand même. Rien que des sottises à ce que dit Corentin. C'est bien vrai. Les gars des journaux n'ont aucune patience, j'ai bien vu.

— Je n'ai jamais connu de femme comme vous, Hélèna Morvan.

— Il n'y en a peut-être pas d'autre. Mais il y a un homme pareil à moi. C'est Corentin Roparz. Bonsoir, Lina, il faut que je m'en aille.

Mais Lina est déjà debout, encore plus émue que tout à l'heure. Elle a des larmes plein les yeux, sa colère a fait place à une sorte de désespoir. Elle s'empare de la cafetière, remplit les bols sans pouvoir seulement articuler un mot. Enfin elle parvient à faire entendre une voix blanche.

— Asseyez-vous, Hélèna. Le café est encore chaud. Il ne faut pas me laisser toute seule. J'ai eu du mal à me procurer du pain. Le boulanger de la place a dû fournir pour celui du port dont la boutique est détruite. Restez encore un peu, je vous prie. Le beurre est tout frais, il vient de la campagne. Et moi, depuis la nuit dernière, je tourne autour de la même corde, cherchant ma tête. Je deviens folle.

Hélèna sourit. D'un autre sourire que celui qu'elle avait tout à l'heure en descendant du car. Si Lich Mallégol était là, cette futée, elle appellerait cela le sourire de la confession. Et il semble, à le voir, qu'il soit difficile d'y résister, tant il purifie les traits du visage pour en faire l'expression même d'une bonté sans limites. La femme s'est assise. Elle a déposé soigneusement la sacoche contre deux pieds de sa chaise, mis du sucre dans son bol, remué son café. Elle attend. Elle a de grandes mains solides et adroites dans lesquelles les instruments du couvert semblent une dînette de poupée. Elle attend toujours, étendant du beurre sur son pain, le coupant à plat comme on fait les parts d'un gâteau. Lina-Lich la regarde faire, l'œil fixe, incapable d'en dire plus, honteuse peut-être d'en avoir déjà trop dit. Au moment de porter à ses lèvres la première bouchée, Hélèna Morvan se décide à l'aider.

— C'est à cause d'Alain Douguet, dit-elle.

Tranquillement.

Lina tressaille. Le sang lui remonte au visage d'un seul coup. Le temps d'un éclair la traverse le soupçon qu'elle pourrait avoir devant elle une sorcière. On dit que là-bas, dans les montagnes... Mais non ! C'est simplement la femme du taciturne Corentin. Il est bien connu que les gens qui se taisent en savent plus que ceux qui parlent. Et Corentin n'est-il pas venu chez elle avec cet Alain Douguet ! Il est capable d'avoir deviné leur secret à tous les deux avant même que l'un et l'autre n'aient osé se l'avouer. Pauvrement, elle essaie d'éviter de répondre oui.

— Ce Corentin Roparz, il croit savoir des choses...

— Il ne m'a rien dit à votre sujet. Du moins directement. C'est un homme trop discret pour se mêler des affaires des autres quand on ne lui demande ni aide ni conseil. Mais il me raconte tout ce qu'il fait par le menu. Et comme il vit presque toujours avec ceux de l'*Herbe d'Or,* il faut bien qu'il me dise aussi ce qu'ils font, qu'il me rapporte même leurs paroles pour me faire comprendre pourquoi il s'est comporté lui-même de telle ou telle façon. Vous croyez qu'il m'a été difficile de soupçonner ce qu'il y a entre Alain Douguet et vous !

— Et qu'est-ce qu'il y a, s'il vous plaît ?

— Je peux me tromper, mais il me semble clair que vous êtes attirés l'un vers l'autre et que tous les deux, je ne sais pas trop pourquoi, vous essayez de résister à ce penchant. Comme vous n'y parvenez pas, cela vous aigrit le caractère et vous rend malheureux. Voilà ! Votre café a très bon goût. Un peu fort, peut-être, mais c'est le mien qui est assez

plat, d'habitude. En tout cas, je me sens d'attaque
pour aller plus loin.

Lina-Lich s'empresse avec sa cafetière, s'inquiète
de savoir si le café est encore assez chaud. Elle insiste
pour qu'Hélèna reprenne du pain et du beurre. Et
dans le même temps, elle prépare dans sa tête les
phrases qui vont lui permettre d'expliquer la situation à la femme de Corentin et d'en avoir un bon
conseil sans le demander expressément. Bien qu'elle
ait déjà laissé voir son désarroi, elle voudrait encore
sauver la face, ménager son amour-propre. Non
seulement l'autre est une étrangère, mais elle ne
compte, à première vue, qu'un an ou deux de plus
que Lina. Et celle-ci de se rasseoir en faisant de son
mieux pour effacer de son visage tout ce qui n'est pas
une simple préoccupation. C'est encore Hélèna Morvan qui vient à son secours tout en reprenant du pain
et du beurre.

— Le plus têtu des deux, c'est lui ou c'est vous ?

— Est-ce de l'entêtement ? Il y a sûrement autre
chose et ne croyez pas que ce soit facile à expliquer.
Je ne sais pas trop. C'est lui qui m'empêche de
savoir. On dirait qu'il a honte et regret de me
chercher. Pourquoi ? Parce qu'il est marin-pêcheur et
que nous sommes des commerçantes plutôt riches ? A
Logan, vous savez, chacun a l'habitude de se marier
dans son milieu. Ainsi moi, par exemple, je devrais
épouser Joz-du-bureau-de-tabac, celui qui a le car.
Parce que je suis fille unique de Lich Mallégol et que
le gendre, ici, ne sera peut-être pas toujours à son
aise ? Je ne sais pas, moi, je cherche. En tout cas, on
voit bien qu'il n'est pas content de lui ni de moi. Il y a
quelque chose qui ne va pas et cela lui fait peur pour
la suite. Et puis il y a mon caractère qui n'est pas
toujours facile et le sien qui l'est encore moins.

— La plupart des époux ne se connaissent bien

qu'après le mariage. Un jour ou l'autre, il faut risquer. Avec l'un ou l'autre. Mais il vaut mieux l'avoir choisi.

— Est-ce que je l'ai choisi ? J'avais encore mes jupes courtes, il était mousse et quand il rentrait de mer, il me cherchait partout. Nous passions notre temps à nous quereller. Mais à peine étions-nous fâchés définitivement, chacun parti de son côté, que nous inventions mille prétextes pour nous retrouver. Si bien que les gens ont commencé à dire qu'il faudrait absolument nous marier plus tard. Cela dure depuis plus de dix ans. Vous parliez tout à l'heure d'entêtement. C'est peut-être pour faire mentir les gens que nous avons décidé de ne pas nous marier quoi qu'il arrive. Le résultat est que nous nous sommes condamnés à mentir aussi. Le plus terrible est que chacun de nous est incapable de vivre avec ou sans l'autre.

— Parlons de vous. Il y a sûrement autre chose qui vous arrête.

— Oui. Autant vous le dire tout de suite car vous finirez par me le faire avouer si vous ne le savez déjà. C'est la peur. Si vous apprenez un jour à connaître ce pays, vous saurez qu'une femme doit avoir le cœur bien trempé pour passer sa vie à guetter le retour des hommes en pêche, à surveiller l'état de la mer, les variations du ciel, à rencontrer des regards de veuves ou d'orphelins à chaque fois qu'elle sort. Il ne se passe guère d'année sans que nous perdions un ou plusieurs bateaux, des petits ou des grands, près de nos côtes ou en mer d'Irlande. Et le pire, c'est qu'on s'habitue, qu'on se dévore soi-même insensiblement jusqu'à tomber dans une sorte d'indifférence que l'on appelle résignation pour ne pas trop s'en vouloir. Je ne suis pas assez forte pour assumer ce destin.

— Que voulez-vous que je vous dise, Lina ? Avec

Corentin Roparz il est entendu que nous restons chacun de son côté jusqu'à ce que l'un de nous se décide à rejoindre l'autre, à se livrer à sa merci. J'espère que ce sera lui. Non pas parce que je serai la plus forte, mais parce qu'il est meilleur que moi.

Tout en parlant, elle a remis son bol à café sur le plateau avec la cuillère dedans. Elle a replié sa serviette blanche exactement selon les plis. Le pain était croustillant, mais il n'en reste pas de miettes sur la table, elle a trouvé le moyen de les manger si délicatement qu'il aurait fallu avoir plusieurs paires d'yeux pour suivre son manège. Elle se lève, tenant déjà la sacoche en toile cirée, écarte les bras pour s'inspecter du bas de la robe au haut du devantier, comme font les femmes qui n'ont pas, dans leur maison, plus de miroir qu'il n'en faut pour se regarder la figure. Elle porte une main à sa coiffe, derrière, devant, sur les côtés, pour vérifier si tout est en ordre. Et, de nouveau, l'étonnant sourire envahit son visage.

— Eh bien, dit-elle, le mieux que nous ayons à faire, maintenant, ce serait d'aller chez Marie-Jeanne Quillivic pour attendre les hommes.

Lina-Lich a tout juste le temps d'attraper son mouchoir dans la poche de son tablier pour arrêter deux larmes au bord des paupières.

— Je vais vous conduire jusque là-bas. Je vous montrerai la maison et puis je rentrerai. J'ai mon travail à faire.

— Vous avez deux servantes, dit Hélèna. Laissez-les donc se débrouiller. Ce soir, vous feriez tout de travers.

— Je ne peux pas aller chez Marie-Jeanne Quillivic.

— A cause d'elle ou à cause de vous ?

— A cause de moi.

— Vous m'avez bien expliqué ce qu'il y avait entre vous et Alain Douguet depuis dix ans jusqu'à ces derniers jours. Mais je pense qu'il a dû se passer quelque chose tout récemment.

D'un seul coup, Lina-Lich se décide, regardant ses ongles.

— Il y a tout juste une semaine, il est venu me demander à ma mère. Il est venu avec sa mère à lui. Elle avait mis son châle neuf et sa plus belle coiffe, la seule qui ne soit pas de deuil. Et j'ai dit non.

— Alors c'est non.

— Je croyais que c'était non. Je suis restée toute la semaine sans penser à rien et sans aucune force, comme après une grande maladie. Et la nuit dernière, il y a eu cette énorme tempête et cette inondation, l'*Herbe d'Or* étant au large. J'ai été prise de fièvre. Une douleur immense a germé quelque part en moi. Une douleur et une honte. Ce matin, ma mère — ce n'est pas une mauvaise femme du tout, ne le croyez pas — m'a dit : Lina, tu as bien fait de renvoyer Alain Douguet. J'ai eu le temps de remonter dans ma chambre avant de m'évanouir. Je donnerais n'importe quoi pour être sa femme à cette heure. Vous devez me croire folle.

— Je crois que vous avez voulu lui dire oui. Mais vous avez eu raison de dire non. Parce que, maintenant, vous savez que c'était oui.

— C'est trop tard.

— Il n'est pas trop tard. Alain Douguet va revenir tout à l'heure avec Corentin et les autres de l'*Herbe d'Or*. Vous n'aurez rien à lui dire s'il vous trouve dans la maison de sa mère.

— Non. Je n'oserai plus jamais regarder Marie-Jeanne Quillivic en face. Et elle ne permettra pas que je mette un pied sur le seuil de sa maison après cet affront que je lui ai fait en refusant son fils. On pardonne beaucoup de choses par ici, mais pas ça. Non, pas ça.

— Est-ce que les gens savent que vous avez refusé ?

— Oh, non. Personne ne sait. Même si on leur disait, ils ne croiraient pas.

— Il n'y a rien de perdu si l'orgueil est sauf devant le monde. Venez avec moi tout de suite. Vous avez dit que je n'étais pas une femme comme les autres. Vous verrez si c'est vrai. Et si je ne réussis pas à mettre la paix entre vous, Corentin le fera. Corentin sèmerait la graine d'amitié entre le loup et l'agneau. Venez ! Je saluerai votre mère en repassant par chez vous.

Avant de sortir, Lina décroche, dans le couloir, un manteau à capuchon, un manteau d'homme qui est resté après son marin de père. Lich Mallégol et elle aiment à s'envelopper dedans pour faire leurs courses indispensables par grand vent ou forte pluie. Les femmes de Logan, riches ou pauvres, n'ont jamais de manteau sinon la grande cape de deuil qui ne sert que pour les enterrements et les relevailles. La jeune fille remonte le capuchon sur sa coiffe. De ses grandes mains, Hélèna lui arrange le lourd vêtement autour des épaules.

— Avec ça, au moins, vous n'êtes pas en danger de prendre froid, Lina Kersaudy.

L'autre baisse la tête.

— C'est pour la honte, souffle-t-elle.

Dehors, le brouillard est toujours aussi dense. Le double pinceau du phare passe quelque part là-haut. Au milieu de la place, une lanterne-tempête se balance au bout d'un bras. C'est Joz qui tourne encore autour de son car. Peut-être pour essayer de flairer la prochaine panne. Le bureau de tabac est toujours allumé. Dans sa cage grillagée, Manche-Vide attend son fils. Et le fils se fait du souci pour les deux femmes. Quand elles sortent de chez Lich Mallégol, il s'approche vivement.

— Ce café devait être de première classe, grogne-t-il. Vous avez mis du temps à le boire. Et la nuit en a profité pour noircir.

— Quand la nuit de Noël est noire, dit Hélèna, nous autres paysans, nous croyons que l'année sera bonne pour le seigle.

— Vous ne voulez pas que je vous emmène là-bas avec ma lanterne? Le chemin de côte est déjà un casse-cou habituellement, mais avec ce qui s'est passé, on n'arrive même plus à savoir où il est.

— Je pourrais aller chez les Douguet les yeux fermés, affirme Lina-Lich qui a retrouvé toute son assurance. Mais vous avez raison, Joz. Hélèna Morvan risque de se fouler une cheville dans quelque ornière. Prêtez-moi votre lanterne, je vous la rendrai demain. Et rentrez chez vous tranquillement. Elle et moi, nous avons besoin de nous dire certaines choses sans qu'il y ait des oreilles d'homme dans nos environs. N'est-ce pas, Hélèna?

Joz leur tend sa lanterne-tempête qui éclaire deux visages et deux sourires. Il en est tout réchauffé du coup. C'est vrai tout de même que c'est la nuit de Noël. Il l'avait oublié. Mais si on se laissait aller pour si peu, où irait-on!

— Si un jour il m'arrive de rencontrer une femme raisonnable, bougonne-t-il, je suis capable d'en mourir de saisissement. Dieu m'en garde! Mais qu'est-ce qui se passe? Voilà qu'il se met à neiger maintenant.

Il entend la voix d'Hélèna qui s'éloigne au bras de Lina-Lich.

— Tant mieux. Il y aura des pommes cette année.

V

Le maître de l'*Herbe d'Or,* intensément, cherche à percer la brume pour recomposer avec précision, dans leurs attitudes familières, les masses d'ombres qui sont ses hommes. Ce n'est pas facile parce que d'être immobilisés par le sommeil ou l'attention les empêche de trahir même leur corps au-delà de ce que signifie l'expectative ou l'abandon. Il a du mal à les reconnaître, sauf l'homme d'avant, pourtant le plus loin de lui, mais dont la silhouette rageuse refuse de s'effilocher. C'est bien un Douguet, celui-là. Les autres, la barque morte sur l'eau figée les enveloppe si bien qu'ils pourraient passer pour autant de tas de filets si la tempête n'avait pas dénudé l'*Herbe d'Or* de tout ce qui n'était pas son équipage. Et lui, il tâche de les faire revivre devant ses yeux au moins pendant le temps qui lui reste avant de les quitter. En vérité, ils sont plus proches de lui que son propre corps qui est en train de l'abandonner. Si seulement pouvait se lever un souffle de vent, une risée fugitive, cela suffirait pour les réveiller tous ensemble, il le sait bien, ce sont des hommes de mer. Et alors, en les voyant activer leurs membres, il aurait l'illusion de retrouver les siens.

Maintenant, il éprouve combien ils lui étaient nécessaires. Tant qu'il n'a fait que vivre parmi eux il

les a bien estimés certes, et sans doute plus pour leurs
défauts avérés que pour ce qu'on appelle communément des qualités, mais il était tellement pris par son
propre démon que sa considération à leur égard
n'allait pas plus loin que les liens qui unissent entre
eux les hommes d'un bon équipage de pêche. A
l'heure qu'il est, il lui apparaît clairement qu'ils l'ont
beaucoup aidé à vivre, eux et ceux qui les ont
précédés sur l'*Herbe d'Or* et qui ne sont plus de ce
monde ou que l'âge tient désormais à terre, assis ou
debout contre les murs au soleil et les yeux fixés sur la
passe d'entrée du port de Logan. Longtemps il s'est
demandé pourquoi son impatience de passer à l'envers du monde croissait avec les années. La réponse
était pourtant la même pour lui que pour beaucoup
d'autres : à mesure que s'écoulait le temps, sa
meilleure et sa plus fidèle compagnie émigrait de
l'autre côté pendant qu'il se plaisait dans des songes
creux qui étaient peut-être aussi les leurs, pourquoi
pas ! Sur la question de l'Au-delà, mis à part les
croyants qui n'en parlaient pas plus volontiers que
les autres, mais dont on savait qu'ils s'en remettaient
à leurs pasteurs, ses compagnons s'en tiraient par un
« on verra bien » qui était un refus d'aller plus loin.
Et quand on évoquait devant eux certaines légendes
de la Mort qui resurgissaient à chaque naufrage, ils
ne manquaient pas de les tourner en dérision, bien
qu'avec prudence et retenue. Mais qui peut savoir ce
qui se passe dans la tête de gens pour qui le silence
est la meilleure (et quelquefois la seule) arme pour se
défendre. Qu'on les force à prendre la parole et ils
s'en servent pour déguiser leur pensée. Qui songerait
à leur en faire grief ! Quant à ces trois hommes et à ce
mousse, ils ne diffèrent en rien des précédents, mais
ils sont là, présents et en vie. Et le maître de l'*Herbe
d'Or,* qui vient de découvrir ce qu'ils valent pour lui,

aura quelque mal à les quitter pour aller retrouver les autres s'il arrive à savoir où ils ont pris leurs nouveaux quartiers, dans quel havre ils se sont évadés entre la peau de la mer et la langue du vent. Il n'a pas, il n'a jamais eu d'autre famille que ces hommes dont on dit qu'ils ont de l'eau salée autour du cœur. Ils sont durement atteints du mal de la mer, aussi gravement que d'une maladie mortelle, mais cette maladie est la racine même de leur vie. L'état de ces pêcheurs n'est pas seulement un métier pour le pain quotidien, c'est une vocation et plus encore. Ils vont sur la mer comme on entre en religion. Contraints et forcés, mais par eux-mêmes. Si on les privait de leurs barques, ils trouveraient le moyen de naviguer dans leurs sabots. Si la mer venait à se tarir, ils mettraient le cap sur la nuée d'orage pour pêcher les constellations dans des toiles d'araignées. Et s'il n'y a pas de mer au Paradis, ils iront se plaindre à saint Pierre, ils verseront tant de larmes que le portier devra gréer de neuf l'Arche de Noé pour qu'ils puissent mettre à la voile sur l'eau de leurs yeux. Tout cela est dit dans une vieille chanson que chantait, paraît-il, la Diablesse. Certains déclarent même qu'elle était de son invention bien que saint Pierre ne fût pas précisément son cousin, tout pêcheur qu'il ait été pendant son temps mortel.

Pierre Goazcoz les a vus vivre, les pêcheurs de Logan et des autres ports de cette côte du Bout du Monde, voisins de près, plus proches encore de tête et de cœur, mis à part certains traits qui ne permettent pas qu'on les confonde et dont ils peuvent se montrer jaloux jusqu'à la fureur. Mais il n'est pas un seul d'entre eux, débarqué à la côte, qui ne se trouve aussi gêné qu'un cormoran à qui l'on a raccourci les ailes. Il ne sait pas bien comment on vit parmi les meubles d'une maison, comment on marche sur un chemin solide et immobile. Il jette la jambe un peu trop à gauche ou à droite, assurant le corps sur les genoux pour s'équilibrer d'avance si la terre venait à rouler sous lui. Et que pourrait-il faire de ses mains, sinon les plonger au fond de ses poches, comme on conserve un outil dans son étui quand il a fini de servir pour une fois. A terre, il n'y a pas beaucoup de cordages sur quoi tirer, ni de filets à relever, ni de grands poissons à empaumer pour leur vider les entrailles. Il est parfaitement chômeur, c'est-à-dire en période d'inactivité forcée. Et il lui est difficile de s'éloigner du quai. Il n'aime pas s'enfoncer dans les terres parce qu'il y a des arbres qui cachent l'horizon et même le ciel. Il reste avec les autres, devant les barques désarmées, à tenir des propos de mer et de poissons. Les équipages, à terre, ne se séparent pas beaucoup plus les uns des autres que les doigts de la main, la paume étant le bateau. Chaque compagnie d'hommes a son débit où se font ses partages et ses dépenses de loisirs, c'est là que l'on trouve sans faute les gens quand on les cherche. Ce n'est pas qu'ils s'ennuient dans leur famille, l'affection ne leur fait pas défaut. Mais la femme est la maîtresse dans la maison, le premier devoir de l'homme est d'être dehors quand il n'a rien à faire chez lui. Pierre Goazcoz ne fait pas exception. Bien qu'il vive tout seul dans « la grande maison », il s'oblige à en sortir aux mêmes heures que les autres chefs de ménages et il s'essuie soigneusement les pieds avant d'entrer, comme s'il était attendu par une femme, une mère ou une sœur soucieuse de la propreté de son domaine particulier et qui ne s'aviserait jamais d'aller salir un bateau de pêche. A chacun ses honneurs.

Le maître de l'*Herbe d'Or* a fermé les yeux sur l'écran de brume et ses ombres qu'il est sûr de retrouver dès qu'elles se décideront à redonner signe

de vie. Il n'a eu aucun mal à effacer le lieu et le
moment qui étaient déjà tout près de s'évanouir. Et
c'est tout le port de Logan qui s'est mis à vivre autour
de lui. Il en revoit presque tous les habitants les uns
après ou avec les autres, y compris quelques-uns dont
il sait bien qu'ils sont morts, mais quelle importance !
La plupart des femmes ne font que passer en profil
perdu, à peine reconnaissables. C'est de sa faute, il ne
s'est jamais beaucoup intéressé à elles. Ses affaires de
cœur et même ses œuvres de chair, qui ne furent pas
négligeables au temps de sa jeunesse, ont pris fin avec
son retour à Logan. Et jamais, d'ailleurs, il n'a pu se
partager. Il aurait peut-être dû se distraire un peu de
sa quête solitaire pour mieux regarder autour de lui.
Car il s'aperçoit qu'il a grand mal à retrouver les
visages de Lich Mallégol et de sa fille Lina Kersaudy.
Pourtant, ces deux-là, il aurait dû les connaître
depuis le temps qu'il a ses habitudes chez elles. Il a
essayé. Il y est même arrivé un peu puisqu'il parvient
à retrouver leurs gestes, leurs attitudes, jusqu'au son
de leurs voix. Il voit distinctement les mains de la
mère et de la fille, mais les visages demeurent flous.
Les a-t-il jamais regardés avec attention, égoïste qu'il
était, alors qu'elles ne cessaient pas de le servir au-
delà de ce qu'elles lui devaient, une certaine affection
en plus, il en est sûr maintenant. Mais maintenant il
n'aura plus le temps de payer aucune de ses dettes.
Au-dedans de sa poitrine un poing se serre inexora-
blement sur son cœur. Et comment lui faire lâcher
prise alors qu'il ne sent plus sa propre main gauche,
la meilleure, et qu'il faudrait cent ans à la droite pour
remonter à l'endroit du mal ? Il s'entend ahaner.
   Les hommes de Logan, c'est étonnant comme il les
retrouve tout entiers, comme il se projette en lui, à sa
volonté, tous les détails de leur immobilité ou de leurs
mouvements. Il joue avec eux et eux avec lui comme

cela se fait dans la vie courante sans pour autant tirer
à conséquence au-delà des menus plaisirs ou désagréments quotidiens. Si c'était l'essentiel, pourtant, cette
approche continuelle des autres, cette complicité sans
calcul, cette imprégnation mutuelle, cette incons-
ciente création de la réalité, cette échappatoire au
néant. Pierre Goazcoz tient encore au bas monde par
des images qui, pour être seulement un reflet en lui,
n'en sont pas moins autant de liens qui le rattachent
à sa condition humaine. Est-ce bien sûr ? Comment
se fait-il que les disparus paraissent aussi à l'aise
dans ce Logan intérieur dans lequel font irruption au
surplus, sans aucune gêne, des êtres qu'il a connus en
d'autres lieux, et d'autres lieux séparés de Logan par
des étendues de terres ou de mers ? En vérité, c'est
une curieuse machine que l'homme et il est bien
possible qu'elle n'ait ni commencement ni fin, seulement des phases, des étapes dont l'incarnation n'est
que la présente. Il se sent sourire en voyant soudain,
très gros plan devant lui, les yeux bleus de Nonna
Kerouédan et cette verrue qu'il a dans le sourcil
gauche. Comment sortir de ce cinéma ?

Une douleur aiguë fait basculer les images sans les
détruire. Au contraire, elles se rétablissent l'instant
d'après et se mettent à faire du bruit. Il ne comprend
pas encore ce qu'elles disent, mais il voit bouger les
lèvres à leur rythme, briller les yeux, sonner les
gestes. Lui reviennent des souvenirs d'école au sujet
de Baudelaire et de sa « vie antérieure ». Il se
dépêche de les chasser pour jouir de la hauteur et de
l'intensité des sons émis par les gens de mer, les siens.
Ils ne sont pas capables de retenir leur voix ni de
parler entre eux sur le mode bas. C'est bon pour les
conspirateurs, les chercheurs de poux, les mauvaises
langues. Proclamer haut et clair leurs idées et leurs
desseins, leurs sentiments et leurs opinions, comme

d'attendre que leur contradicteur ouvre la bouche, s'il peut, voilà leur loyauté devant tous. D'ailleurs, en mer, il faut articuler fortement les paroles, autrement elles sont avalées dans le bruit de la houle ou dispersées dans le vent. A les entendre parler, quelquefois, vous pourriez croire que les gens de mer vont vous manger tout vif, vous avaler tout cru. Or, quand ils sont intimidés devant vous, ils parlent encore plus fort, ils présentent un visage hargneux. Mais ils sont meilleurs que la moyenne des gracieux. Quel chahut ils font! Au point que leurs éclats de voix retentissent en vous. C'est peut-être que vous êtes en train de leur répondre, de les interpeller, en tout cas d'unir votre voix à la leur pour ne pas demeurer en reste.

— Qu'est-ce qui vous arrive, Pierre Goazcoz? Vous êtes malade?

Il ouvre les yeux, doucement, avec du mal. Devant lui, tout près, il voit le regard de terre mouillée de Yann Quéré. Un regard inquiet. Il sent vaguement une main qui lui secoue l'épaule, une épaule qui lui appartient à peine. Il entend sa propre voix, rogue :

— Qu'est-ce qu'il y a?

— Tu as crié comme quelqu'un qui a mal.

— Un cauchemar sans doute. Je suis un peu abruti. Où sont les autres?

— Chacun à sa place. Où veux-tu qu'ils soient? A se promener sur le port?

— Réveille Corentin.

Du fond des Limbes, mais distincte, la voix tranquille, inaltérable, de celui qu'on n'appelle que par son nom de baptême.

— Je ne dors pas.

— Tu aurais dû dormir pendant que c'était ton tour.

— Il faudrait pouvoir.

— Tu ne dors jamais, alors ?

— Et toi ?

— Moi, ce n'est pas pareil.

— Moi non plus.

Voilà. Il n'y a plus rien à dire. Mais Pierre Goazcoz a besoin de parler.

— Qu'est-ce qu'il fait, le mousse ?

— A tes pieds, dit Yann Quéré qui s'est redressé. Il dort comme un sac. Et il fait bien. Il n'y a que lui de raisonnable sur ce fichu bateau. Il sait qu'aucun animal ne dort, la nuit de Noël, sauf l'homme et le crapaud.

C'est Alain Douguet, à son tour, l'homme d'avant, qui se fait entendre de là-bas.

— Es-tu homme ou crapaud, Yann Quéré ?

— Je crois que je suis homme, mais j'aimerais mieux être crapaud, pour le moment. Au moins je n'aurais à me garder que des roues de charrettes. Tiens ! Il y aura des pommes, cette année.

— Qu'est-ce qu'il raconte encore, bougonne Alain Douguet.

— Il commence à neiger. Et quand il neige, la nuit de Noël, c'est qu'il y aura des pommes au prochain automne, mon garçon.

— Ce Yann Quéré, il restera toujours paysan. De pied en cap.

— Voilà. Et les paysans de chez moi disent que je suis marin de naissance. Qui a raison ?

— Mais ton père avait bien une ferme dans les montagnes, non ?

— Oui, il avait une ferme, mais elle n'aurait pas dû lui revenir. C'est son frère aîné qui allait la prendre, comme il avait toujours été convenu, quand le grand-père se mettrait sur sa réservation. Mais il a été tué dans un accident de battage. Mon père avait déjà fait douze ans dans la marine à voiles, comme beaucoup de cadets paysans. Il a débarqué pour prendre la bêche et se mettre à la tête des chevaux. Il n'a plus connu que les coups de peigne du vent sur les collines de bruyères. Il en avait mal au cœur, quelquefois.

— Je comprends. C'est dur quand il faut changer de métier au mitan de la vie. Surtout quand il faut lier la gerbe à genoux quand on a bordé la voile dans le ciel. Ah, misère !

— C'était quand même un bon paysan, un homme de métier qui connaissait non seulement les lois de la terre, mais ses humeurs. Et il trouvait beaucoup de satisfaction à ce qu'il faisait... Le plus dur, pour lui, était de supporter les hivers. Dans les mois noirs, il n'y a pas assez à faire pour quelqu'un qui trouve son plaisir à se donner à fond dans les grands travaux comme les moissons que j'ai connues alors, quand des dizaines d'hommes, de femmes et d'enfants allaient jusqu'au bout de leurs forces dans les champs pour s'assurer le pain quotidien. L'hiver, le paysan est à peu près seul dans les espaces nus, sous la lumière froide, occupé à tenir ses terres en état. Ou il répare ses outils dans sa grange ou son écurie. Il y en a beaucoup qui ne s'en plaignent pas. Mon père était d'une autre farine. Il aimait la compagnie, il aurait voulu ne pas perdre une heure de son existence à des tâches obscures, il regrettait le temps où il avait tout un équipage autour de lui, vous entendez ce que je veux dire ! Parfois, l'hiver, il n'y tenait plus. Quand nous étions couchés dans nos lits-clos, quand le vent de suroît ébranlait tous les huis de la maison et faisait chanter les serrures, tout à coup il poussait à pleine voix une chanson qu'il avait « levée » lui-même pour sa consolation. Il clamait le cantique de son voilier.

C'était un grand château léger qui se balan-
çait sur une mer bleue comme un champ de
lin.
La pointe des mâts était plus loin de l'eau
que celle de la plus haute église ne l'est du
cimetière.
Et les perroquets, en travers des mâts,
formaient des croix parfaites,
Seigneur Dieu !

Avez-vous vu, le matin, autour de la grande
fougère des bois, des fils croisés en long et en
travers ?
Sur mon vaisseau, il y avait plus de cordages
qu'il n'y a de fils autour de la fougère.
Et le soleil béni les faisait briller dans le ciel
comme les rets de la Vierge dans les chemins de terre,
Seigneur Dieu !

Voilà ce qu'il chantait, mon père. Il y avait
d'autres couplets qu'il improvisait selon son inspiration ou les souvenirs qui lui revenaient, mais ces
deux-là ne changeaient jamais. Et quand il avait fini
de chanter, on entendait ma mère qui pleurait dans
son lit.
— Pleurait pourquoi, ta mère ?
— Pleurait de joie. Parce qu'elle savait que son
époux qui était mal à son aise depuis des jours et des
jours, comme lorsqu'on couve une maladie, se libé-
rait pour quelque temps. Nous, les enfants, nous
l'entendions lui dire, entre deux hoquets : c'est bien,
Guillaume, c'est très bien. La chanson s'appelait le
Château de Toile. C'est à cause d'elle que je suis
devenu marin, mais trop tard. Les châteaux de toile
étaient presque au bout de leur temps. Il restait

quand même l'*Herbe d'Or* avec juste ce qu'il fallait d'ailes pour les rappeler.

— Je n'ai jamais entendu chose plus étonnante. C'est la première fois que tu nous parles de ton père. Tu es pourtant le plus bavard de nous tous, sans offense.

La voix rogue d'Alain Douguet est étrangement assourdie. C'est sans doute le brouillard ou la neige. Il a dû tenir la bouche ouverte pendant tout le temps que Yann a parlé.

— Je n'ai jamais été avec vous pendant la nuit de Noël. Cette nuit-là vous fait monter le cœur à la gorge, comme la crème sur le lait. Ainsi fait-elle, m'a-t-on dit, depuis avant la naissance du Christ. Et si vous voulez m'écouter encore un peu, je vous dirai comment est mort mon père, le paysan. Il est mort dans une tempête, oui, au pied d'un grand mât tout hérissé de perroquets, tout résonnant de bruits dans le vent de galerne. C'était au pied d'un chêne, dans les Montagnes Noires. Le pauvre homme avait dû se mettre à l'abri pendant qu'il fauchait un pré. L'orage l'a foudroyé debout, avec sa faux. Quand nous l'avons trouvé, il était tout noir, mais il avait le sourire. Probable qu'il avait rejoint son château de toile. Je l'ai porté en terre, j'ai laissé la ferme à l'une de mes sœurs et je suis descendu sur la côte pour aller travailler le champ qui bouge et qui n'appartient à personne. En espérant que mon père sera content de moi.

Pierre Goazcoz a repris un peu de chaleur. Le poing qui lui comprimait l'intérieur de la poitrine s'est relâché. Il arrive à remonter sa main droite jusqu'à son front. Il faut qu'il parle, il sent que c'est à lui de parler. Qu'il dise n'importe quoi.

— A la bonne heure. A vous deux, ton père et toi, vous avez eu une vie entière de paysan et une vie entière de marin. Il paraît que c'est la meilleure destinée. Dans ma jeunesse, on disait encore que lorsqu'un marin se présente au soleil de la terre, son ombre, derrière lui, dessine la forme d'un paysan. Et moi, quand je vois un paysan debout dans sa charrette et naviguant dans les ornières, les rênes serrées et l'œil au loin, sans mentir, je trouve qu'il fait avec son corps comme un marin sur la mer. Mais dis-moi...

Que c'est difficile de faire du bruit avec la bouche, plus exténuant encore de pomper assez d'air pour ne pas risquer de détruire le corps des paroles. Et cette poitrine qui menace d'éclater ! Pendant qu'il cherche son souffle, il voit s'approcher du sien le visage de Yann Quéré, attentif et soucieux. Au-dessus de lui, deux autres visages, un peu flous mais avec la même expression. Que lui veulent-ils, ces trois-là ? Trois Rois Mages déroutés et neigeux.

— Quelque chose qui ne va pas, Pierre Goazcoz ?

— Rien. Je pensais seulement que des châteaux de toile, il y en a encore quelques-uns dans la grande pêche. A Concarneau...

— Je sais. C'est à Concarneau que je suis allé en descendant des Montagnes. J'étais à peine devant la mer que j'ai vu surgir de l'horizon trois thoniers, couverts de toile de haut en bas, qui luttaient entre eux pour gagner le port. Cela m'a fait cogner le cœur, terriblement. Mais je me suis dit qu'avant de me hasarder sur de pareils monuments, il valait mieux que j'apprenne le métier sur une barque. Pas avec n'importe qui, bien sûr. J'ai trouvé l'*Herbe d'Or*.

— L'*Herbe d'Or* n'a plus rien à t'apprendre depuis longtemps.

Le visage de Yann Quéré s'éloigne brusquement, repoussant les deux autres derrière lui.

— Ne croyez pas ça. Et mettons que je me trouve

bien avec vous, sacrée sale graine de Loganistes. Bon ! Maintenant, faisons la paix avec toutes ces sornettes. Je ne veux plus en parler. Jamais.

— Comme il te plaira, parvient à articuler le maître de l'*Herbe d'Or*.

Et il ferme les yeux pour s'écouter mourir.

La neige tombe plus dru, avec une impressionnante lenteur et tout droit, au travers d'une brume grisâtre et qui s'est allégée, dirait-on. Toujours pas une trace de vent. L'*Herbe d'Or* achèverait de disparaître dans la blancheur si la mer couleur de plomb, immobile sous lui et digérant les flocons à mesure, n'en faisait ressortir le dessin par contraste et à la faveur d'un éclairage faible et terne qui doit émaner du ciel si le ciel est toujours là-haut. Le trait plus sombre du mât de taillevent semble durement fiché dans la barque pour la clouer à l'eau, seulement pour cela. Tassé à la barre, Pierre Goazcoz n'est plus qu'un bonhomme de neige. Les autres sont debout, les trois têtes presque à se toucher, comme des conspirateurs. De temps en temps, l'un d'eux s'ébroue pour désenneiger son gros paletot. Si insolite est le monde autour d'eux qu'ils ne pensent même plus à se défendre contre le froid de loup. Pas un mot jusqu'au moment où une inquiétude assaille Yann Quéré.

— Je vais voir comment va le mousse.

Il fait deux pas vers l'arrière, s'accroupit devant une masse neigeuse presque aux pieds de Pierre Goazcoz. Il tâte avec précaution, finit par soulever un coin de prélart. Herri est dessous, pelotonné comme au sein de sa mère. La main de Yann trouve son visage. Il lui semble bien y sentir une chaleur mais il n'en est pas sûr. Il ramène sa main, la frotte

vigoureusement contre l'autre, la glisse sous le paletot du gosse à l'endroit du cœur. Le cœur bat
régulièrement. Yann soupire, soulagé, remet le prélart en place. Que peut-il faire de plus ! Sur le bateau
creux, la tempête n'a rien laissé que ce bout de
chanvre goudronné, la voile de taillevent assez mal
en point et ce qu'ils ont dans leurs poches, les
mouchoirs, les couteaux, deux briquets et sa pipe à
lui, la seule à bord.

— Ça va, dit-il. Il dort d'un bout à l'autre.

Et il ajoute, comme pour s'excuser de ne pas
regagner sa place.

— Je vais rester par ici.

D'un geste vague, son bras désigne le mousse ou
Pierre Goazcoz ou les deux. Il écarte les jambes pour
mieux se planter, enfonce les mains dans ses poches.
Le voilà paré pour la garde.

— Et moi je retourne à l'avant, dit Alain Douguet,
si je ne peux servir à rien. Je suis tellement habitué à
cette place que je me trouve gêné quand il faut que je
la quitte. Je ne sais pas comment je ferai quand il
faudra que je passe à l'arrière.

— Quand tu passeras à l'arrière, et ce sera
bientôt, il y aura un moteur sur ta barque. Avant un
an ou deux. Les postes de travail ne seront plus les
mêmes. Et puis viendra un pont, peut-être une
cabine, une cale à poissons, des compartiments à
filets, des appareils pour se gouverner, quoi encore !
Vous n'aurez aucun mal à vous habituer à des
nouveautés qui vous épargneront une bonne moitié
de votre peine. Salut, les gars !

— Et toi, Yann Quéré ?

— Je ne sais pas. J'ai fini mon apprentissage. Et
personne n'osera plus donner à un bateau le nom de
l'*Herbe d'Or*.

— Qu'est-ce qu'il veut dire ? demande Corentin.

— Je n'en ai pas entendu plus que toi. Mais avec Yann Quéré, comme avec Pierre Goazcoz, il suffit d'attendre. Ces gens-là finissent toujours par s'expliquer. Pas vrai, paysan ?

— Vrai, matelot. Mais pas avant d'avoir dénoué les nœuds de leur ficelle.

— Bon, dit Corentin. Je vais à l'avant avec toi. J'ai justement quelque chose à te demander si tu as le temps, je veux dire si tu veux bien m'écouter.

— Et tu ne veux pas que Yann Quéré t'écoute ?

— Je n'ai rien à cacher à personne. Mais je crois que Yann Quéré a autre chose à penser. Plein la tête. Je ne voudrais pas le déranger. C'est pourquoi.

Ils remontent vers l'avant. Du tranchant de la main, ils dégagent la neige pour dénuder le bois. Tous les deux s'acagnardent dans l'étrave, sous le bordé, mêlant presque leurs respirations. Un confessional ou tout comme. Et Corentin commence d'assez loin.

— Ce Yann Quéré, il est tout pareil à ma femme. D'ailleurs, c'est avec lui que je l'ai connue. Ils sont enfants de cousins.

— J'aimerais bien connaître ta femme, Corentin. Je te dirai qu'on a tous été un peu humiliés, à Logan, quand tu es allé chercher une paysanne du fond des terres. Sans rien nous dire. Tu es orphelin depuis tout petit, ta vraie famille c'est nous autres, quand même. Mon père ne faisait pas de différence entre ses fils et toi. Si on ne te connaissait pas bien, on croirait que tu as eu la tête tournée par les Goazcoz qui sont toujours allés chercher leurs femmes ailleurs. Mais, bon, si cette Hélèna est de la race de Yann Quéré, il n'y a rien à dire.

— Ecoute. Je devais l'amener chez ta mère pour cette nuit de Noël. C'était entendu avec Marie-Jeanne Quillivic. On ne t'a rien dit pour te réserver la surprise. Cette mauvaise tempête a tout défait. Elles doivent croire que nous sommes au fond. Pour ceux qui attendent sur la terre un bateau qui ne rentre pas, le temps dure.

— Beaucoup plus que pour nous. Tant que la mer et les vents font leur office, tant que le bateau travaille, nous ne sentons pas le temps passer, nous ne pensons pas à ceux de la maison. Maintenant que nous sommes encalminés comme jamais, je me fais du souci pour la mère. Sur quatre hommes qu'elle avait, il ne lui reste plus que moi. Et moi je n'ai plus qu'elle.

— Hélèna serait tranquille, dans son village, si je n'avais pas promis d'aller la chercher et s'il n'y avait pas les journaux. Tu crois qu'ils ont déjà eu le temps de marquer que l'*Herbe d'Or* était resté en mer ?

— Sûrement. Ils sont tellement pressés qu'ils sont capables d'annoncer un événement avant qu'il ne soit arrivé. Il faudrait que nous arrivions à quai avant demain matin. Sinon, à Logan, ils vont dire les trois messes et nous porter disparus.

— J'ai quelque chose à te demander. Mais avant, il faut que je t'explique le pourquoi pour que tu comprennes bien. Voici : l'année dernière, quand nous avons désarmé, à la Saint-Michel, Yann Quéré allait partir dans son village de la montagne. Il avait dans l'idée de donner un coup de main à sa compagnie pour les pommes de terre. Il m'a demandé d'aller avec lui. Ma foi, je ne savais pas trop quoi faire de mon temps pendant quelques jours, je suis parti.

— Et tu es revenu tout drôle, je me souviens.

— Quand nous sommes arrivés dans son village, il était trop tard pour les pommes de terre. Elles étaient déjà ramassées et les gens préparaient une grande fête de nuit comme ils ont l'habitude d'en faire entre

eux pour célébrer la fin des récoltes. Yann et moi
nous avons reçu notre ration de quolibets à propos
des gaillards qui laissent généreusement le travail
aux autres pour s'appliquer de toutes leurs forces aux
réjouissances quand la bonne heure est venue. Et
puis nous avons été invités à la fête, on nous a priés
de ne pas marchander au plaisir cette sueur que nous
n'avions pas voulu répandre au travail. Yann Quéré
a promis pour nous deux.

Le village, en réalité, n'était qu'un hameau de trois
fermes groupées dans un pli de colline auquel on
n'avait accès que par de mauvais chemins de terre.
Mais quelques-uns de ses habitants étaient réputés
au loin pour être d'infatigables chanteurs à danser.
On savait aussi qu'ils se réunissaient tous pour les
grands travaux et qu'ils n'avaient pas leurs pareils
pour se livrer à la joie quand c'était fini. Des gens de
tous âges arrivaient à pied, certains d'entre eux d'une
lieue et plus, pour assister à leurs fêtes de nuit, c'est-
à-dire pour y prendre part, car il n'était pas question,
à moins d'être complètement empêché de ses membres, de rester regarder les danseurs sans entrer dans
la danse. Les gros bonnets du bourg, situé à deux
kilomètres dans la plaine, y arrivaient en chars à
bancs, le maire en tête sous son chapeau melon. Ils
n'étaient pas les derniers à s'échauffer aux accents
des chanteurs, à obéir aux vieux démons qui leur
travaillaient les jambes car ils étaient tous des fils de
la montagne. Et l'on racontait que les voix hautes des
chanteurs, leurs ritournelles, les encouragements
qu'on ne leur ménageait pas, les cris stridents lâchés
par les danseurs au comble de l'excitation, faisaient
résonner la nuit jusqu'aux extrêmes limites du canton. Yann Quéré était intarissable quand on le

mettait sur le sujet et ceux de l'*Herbe d'Or* ne s'en privaient pas. A Logan et dans tous les ports du sud, les hommes et les femmes étaient assez volontiers des vive-la-joie à la moindre occasion, mais ils avaient d'autres façons de s'exalter, de célébrer leurs heures de fêtes. Ils ne connaissaient pas les campagnes profondes ni les rudes échines de la montagne où affleuraient les rocs. Ils ne se gênaient pas pour qualifier les coupeurs-de-vers de lourdauds terreux et les montagnards de primitifs sauvages. Mais ils n'en étaient pas moins impressionnés, presque respec-tueux, quand Yann Quéré se laissait aller, chez Tante Léonie, à exécuter une gavotte de son pays en la soutenant de sa propre voix, sur des paroles qu'il improvisait lui-même pour se moquer des petits travers attribués, à tort ou à raison, aux marins-pêcheurs de Logan. En toute amitié, bien entendu, et à charge de revanche. Il lui était même arrivé, à ce diable d'homme, capable des plus fortes mélancolies comme des plus excessifs débordements, il lui était arrivé de danser la gavotte sur l'*Herbe d'Or* dans la houle. Sans raison apparente. Mais il s'en expliquait en déclarant que le démon de la danse pouvait vous saisir partout et que la seule façon de s'en libérer était de lui donner son compte. Quand la fête de nuit faisait rage dans son village, ajoutait-il en riant, les recteurs des paroisses d'alentour sautaient sur leur bréviaire pour conjurer l'inspiration satanique aux aguets sous ces rythmes et ces paroles qui n'étaient pas d'église, fichtre non. Mais les jeunes vicaires se levaient en chemise et pieds nus dans les presbytères pour mimer en silence et en douceur les pas de la gavotte simple ou double. Croyez-le si vous voulez.

A leur arrivée, tardive donc, Yann Quéré et Corentin Roparz, après une solide collation avec les ramasseurs de pommes de terre, avaient été donnés en renfort à une équipe de jeunes gens dont la mission était d'inspecter les chemins de terre jusqu'au bas de la colline. Ils devaient couper les ronces et les orties de part et d'autre des passages, combler les ornières trop profondes et les nids-de-poule qui pouvaient rendre malaisée la marche des arrivants. Après quoi il leur resterait à rassembler assez de fagots et de branchages à trois carrefours pour y allumer des feux à la nuit tombante. Ces feux, très visibles d'en bas, guideraient vers le village les « chats-de-nuit » qui ne connaissaient pas bien les détours capricieux des sentes et risquaient de s'égarer dans des culs-de-sac où les plus crédules d'entre eux ne manqueraient pas de voir des êtres surnaturels de mauvais augure. Corentin Roparz lui-même, qui avait toujours vécu sur la côte, avait été impressionné par ce silence qui régnait en maître dès que vous aviez quitté les lieux habités. Mais à peine les feux avaient-ils commencé à flamber que l'on avait entendu, tout au long des pentes, éclater des cris et des rires, jusqu'à des conversations sur des bruits de sabots. Ils étaient moins de deux douzaines à grimper vers le village, mais ils dégageaient de la vie comme cent tellement les sons portaient haut et loin. Aucun maléfice n'aurait pu tenir contre une telle alacrité. Et déjà des couples de chanteurs, invisibles dans les chemins creux, se mettaient en voix avec des *tralalala-leno.*

L'équipe des baliseurs était remontée, laissant, pour alimenter les feux, des gamins ravis de l'aubaine. La grande cour, commune aux trois fermes, avait été nettoyée de près par les femmes expertes à manier les balais de genêts. La charretterie qui donnait dessus avait été débarrassée de ses machines et de ses véhicules à l'exception d'un seul tombereau dont on avait établi les brancards à l'horizontale. Il servirait d'estrade aux chanteurs. Dans le fond, contre le mur, on voyait briller vaguement des barriques, des bols, des verres, des pains de dix livres et des cochonnailles. Il faut redonner des forces aux gens qui travaillent à danser ou à chanter, un sac vide ne tient pas debout. Cependant les gens du village, dans leurs hardes de travail, le visage encore noirci par la poussière des champs, passaient et repassaient avec des paniers, des outils à main, un fardeau sur l'épaule ou tirant à bout de rênes un cheval fatigué. Ils passeraient sans transition de leur tâche quotidienne à la danse, celle-ci n'étant que le couronnement exceptionnel de celle-là.

Et, d'un seul coup, l'aire fut envahie par des hommes, des femmes, des enfants qui arrivaient de tous les côtés. Ils avançaient lentement, comme on doit le faire quand on est en visite chez les autres, même proches parents. La scène n'était éclairée que par les lampes à pétrole posées par les ménagères au haut bout de leur table, presque au ras des fenêtres donnant sur la cour, et par quelques lanternes-tempête accrochées çà et là. Sur le tout régnait un ciel clair, tout piqueté d'étoiles comme dans Victor Hugo. Cela suffisait, en dépit des zones d'ombre, pour se rendre compte que les gens d'en bas avaient mis des vêtements propres. Les jeunes filles et les jeunes femmes surtout avaient combiné finement une tenue d'entre dimanches et jours de semaine. Il faut rendre les justes honneurs qui conviennent à chaque circonstance, ni plus ni moins. Ce sont là des choses que l'on apprend de sa mère.

Pendant que Yann Quéré faisait le tour de la cour pour saluer les parents et les amis qu'il n'avait pas encore vus, Corentin s'était reculé dans l'ombre, contre un mur d'écurie. Derrière le mur, il entendait le bruit d'un sabot de cheval frappant les dalles de pierre et, après chaque coup, l'animal émettait une sorte d'éternuement. Corentin ne désirait qu'une chose : rester là tout seul sans être vu, mais spectateur attentif de cette société campagnarde qui différait tellement de la sienne, comme les paysages de la montagne n'avaient rien de commun avec ceux de la côte. Cette montagne, pour la hauteur, n'aurait guère mérité plus que le nom de colline. Mais Corentin, qui avait toujours vécu au ras de l'eau salée, avait été frappé, tout à l'heure, quand il avait découvert le monde à quelques centaines de pieds sous lui. Malgré la présence de Yann Quéré, il se sentait un intrus dans ce pays et au milieu de ces gens. Il se disait que jamais il ne pourrait s'habituer à eux ni eux à lui. Et en même temps il sentait déjà germer en lui une graine de nostalgie qui ne ferait que croître dès le lendemain, quand il les aurait quittés. Allez donc y comprendre quelque chose ! Leur breton même, plus rude et articulé que le sien, certains mots mystérieux dont il n'osait pas demander l'explication, certaines tournures de phrases dont il ne savait pas très bien quel sens leur donner et jusqu'à leur façon de rire, tout cela le déconcertait tout en lui donnant l'impression de n'être pas si loin de son propre langage. Il y avait une connivence en profondeur. Il se rappelait maintenant que Yann Quéré, à son arrivée à Logan, parlait comme les gens d'ici. Or, il ne lui avait fallu que peu de temps pour s'exprimer comme les Loganistes tout en conservant quelques traits qui le faisaient reconnaître comme étant d'ailleurs. Et à peine était-il arrivé dans son village, à la fin de l'après-midi, qu'il s'était remis au diapason de la montagne, celui qui était le sien quand il chantait pour se faire danser chez Tante Léonie ou sur l'*Herbe d'Or*.

Il en était là de ses réflexions quand deux hommes,

à quelques pas de lui, se mirent soudain à clamer les mêmes ritournelles *tralalalaleno* qu'il avait entendues retentir tout à l'heure sur les flancs de la montagne. Ils avaient redressé le buste et mis les pouces à l'entournure du gilet. Lentement, ils se mirent en marche autour de l'aire. A mesure qu'ils avançaient, on voyait les assistants se prendre par les mains et faire quelques pas vers le centre en s'encourageant mutuellement. Et soudain, sur les *tralalalaleno,* éclata une chanson de conscrit portée par un air de gavotte. A point nommé, les danseurs entrèrent en action. Aisselle contre aisselle, ils formaient plusieurs chaînes qui se réunirent pour n'en faire qu'une seule, menée par un gaillard qui talonnait sèchement pour affermir le rythme imprimé par le duo chantant. Le premier chanteur menait avec sa voix de tête tandis que le second l'aidait en déchantant sur les dernières notes de sa phrase. Pendant que se dévidaient les deux ou trois premiers couplets, d'autres personnes entrèrent dans la chaîne, la coupant à l'endroit qui leur convenait sans que les danseurs séparés fissent la moindre résistance. Puis la chaîne se ferma, fit une couronne tournoyante, et dès lors les danseurs parurent s'absorber dans leur propre piétinement, oublier tout ce qui n'était pas lui. Corentin était subjugué. Il aurait cru assister à un cérémonial venu du fond des âges si la joyeuse satire contenue dans les couplets ne l'avait fait revenir à lui de temps en temps. Une grande claque sur l'épaule et la voix de Yann Quéré sur fond sonore.

— Nous sommes joliment tombés, n'est-ce pas, Corentin ! Regarde comme ils savent se servir de leurs jambes, comme ils ont le jarret vif ! Quand on pense qu'ils se sont courbés sur la terre pendant des jours et des jours, qu'ils s'y sont traînés à genoux entre le sac et le panier, on comprend qu'ils aient

envie de se dégourdir. Et ils s'en donnent! Ils
s'amusent à se fatiguer autrement, quoi! Les gens des
villes disent que les paysans sont lourds. C'est
plaisant à entendre quand on les voit ramper leurs
sacrés tangos sur les parquets cirés, avec des yeux de
poissons morts. Ecoute-moi ces chanteurs, Corentin!
Ils feraient bouillir la moelle des Trépassés. Regarde
la vieille, là-bas, comme elle travaille à danser juste
et court! C'est ma propre marraine. Quatre-vingt-
deux ans. Je ne peux pas y résister. Il faut que j'y
aille. Attends-moi, je reviens!

Yann Quéré saute sur l'aire, dansant déjà, les deux
bras levés. La chaîne s'est cassée en deux files
parallèles. Il s'introduit prestement entre sa marraine et une femme beaucoup plus jeune qui donne
elle-même le bras à un garçonnet de douze à quatorze
ans. C'est à peine s'il a troublé la saltation le temps
d'une seconde. Il a été happé par la chaîne, il s'y est
fondu. Les chanteurs s'accordent admirablement
depuis que les danseurs eux-mêmes ont trouvé la
bonne cadence qui ne vient jamais tout de suite. On
n'y arrive pas avec la seule application, il faut que
chacun fasse corps avec les autres, tous les autres, et
de préférence ceux qu'il voit en face de lui, qui sont
ses meilleurs entraîneurs et l'aident à oublier ceux
qu'il tient lui-même à droite et à gauche au risque
d'être désuni par eux s'il ne visait pas plus loin que
leur accord. Etrange à voir, ils se tiennent de face et
par les yeux. Bras dessus bras dessous, épaule contre
épaule, les torses raidis de la nuque aux reins libèrent
sous eux les cuisses et les jambes qui manœuvrent sur
un rythme vif marqué par un talonnement précis. Les
hommes pointent haut les genoux tandis que les
femmes tracent les pas presque à ras de terre. De leur
côté, les deux chanteurs ne quittent pas l'une ou
l'autre chaîne des yeux, car c'est elle qui assure la

régularité de leur chant. Quand les voix des deux compères s'unissent en fin de phrase, le doublement du volume sonore excite à chaque fois l'ensemble dansant et se traduit par une ondulation de la chaîne sous la pression du meneur. Corentin en demeure bouche bée, ce qui est un comble pour un marin-pêcheur, quand soudain le premier chanteur précipite le rythme, frappe furieusement le sol du talon. L'autre n'a garde de demeurer en reste et presque aussitôt le chant s'arrête sur une note tenue jusqu'en fin de respiration. Brouhaha. Les danseurs se dispersent lentement sur l'aire, d'autres paysans profitent de cet entracte pour entrer dans le cercle, se préparer à choisir leur place dans la reprise de l'aubade qui se fait en trois morceaux. Et voilà que revient Yann Quéré, accompagné d'une grande fille en coiffe ronde dont Corentin ne voit d'abord que les fortes mains plaquées sur le devantier. Ils sont essoufflés tous deux.

— Je suis arrivé un peu en retard pour la première gavotte, mais ils me verront à l'œuvre pour la suite. Je manque d'entraînement depuis que je suis descendu en pays plat, c'est sûr. Quand même, cela revient vite. Tiens! J'ai trouvé dans la chaîne Hélèna, ma cousine. Celui-ci est Corentin Roparz, qui est avec moi sur l'*Herbe d'Or,* notre bateau.

La grande fille ne souffle mot. Les bonjour et bonsoir ne sont pas d'usage. C'est à Corentin de parler.

— Vous avez bien du plaisir, dans ce pays.

Une voix grave, un peu oppressée.

— Le plaisir est à la mesure de la peine. C'est justice, non.

— Ecoute, Hélèna, dit Yann Quéré, reste un peu avec Corentin. Il est assez sauvage, déjà, et il ne connaît personne ici. Des fêtes de nuit, tu en auras

d'autres tandis que moi, chez eux... Je veux danser ce
morceau du milieu et puis l'autre après sans désem-
parer. C'est vrai, quoi! J'ai un nid de fourmis dans
chacun de mes genoux, il faut que je le fasse
descendre. N'aie pas peur de lui, il n'est pas
méchant.

Il rit et s'en va sans autre cérémonie. Corentin,
gêné, le suit des yeux pendant qu'il replonge dans la
foule déjà plus dense maintenant. Et la voix grave
s'élève de nouveau.

— C'est vrai que vous êtes un garçon sauvage?
— Je ne sais pas. Ce sont les autres qui savent.
— Je n'ai pas peur de vous. Pas du tout.
— C'est pour moi que votre cousin Yann a parlé
de peur. Il me fait quelquefois ce tour-là quand nous
allons ensemble aux endroits où il y a de la jeunesse.
Ce n'est pas souvent. Mais il trouve toujours le
moyen de m'amener une jeune fille et de me planter
là avec elle. Je suis malheureux parce que je ne sais
pas quoi dire. Je ne fais que tourner mes mains au
fond de mes poches. Nous autres, pêcheurs, nous
aimons avoir nos mains au fond de nos poches quand
nous sommes à terre. Heureusement, la jeune fille
s'en va toujours très vite et c'est fini pour cette fois-là.

— Pour un garçon sauvage, dit la voix grave, avec
un soupçon d'ironie, vous n'êtes pas trop empêché de
votre langue.

— C'est la première fois. Vous ne me faites pas
peur, vous non plus.

— Et moi, ne comptez pas que je m'en irai très
vite.

— Vous n'aimez pas danser?
— Comme tout le monde, ici, jeunes et vieux.
Après les grands travaux, c'est notre mode à nous.

— Alors il faut aller avec les autres. Je resterai
bien tout seul.

— Et que dirait mon cousin Yann Quéré si je vous laissais là ?

— J'ai l'habitude d'être laissé.

— Pas tant que moi.

A ces mots inattendus, Corentin s'enhardit à la regarder. Depuis que sa voix grave a retenti pour la première fois, il n'a pas osé le faire. Il sait seulement qu'elle est grande avec de fortes mains. Pendant tout le temps qu'ils ont parlé, elle et lui sont restés tournés vers les danseurs qui évoluent maintenant en un seul groupe, mais si nombreux que le tour de la cour leur suffit à peine et que les quelques regardants doivent se plaquer contre les murs des bâtiments de ferme. Curieusement, il n'entend presque plus les chanteurs qui pourtant ne se ménagent pas, forçant encore leur voix de tête. Les danseurs ne seraient pour lui que des ombres gesticulantes si, passant à le frôler, ils ne lui imposaient leurs yeux brillants dans des faces vernies de sueur. La voix grave a suffi pour éteindre les bruits de la fête, ou plutôt pour les reléguer dans un arrière-plan sonore dont il garde à peine conscience. Elle est à deux pas de lui. Il la voit de profil et s'étonne de la régularité de ses traits, de leur fermeté tempérée par quelque chose d'indéfinissable dont il est tenté de croire qu'il s'agit de douceur ou de bonté ; de leur finesse aussi, alors que la jeune fille, quand elle s'est avancée avec Yann, tout à l'heure, lui a fait l'effet d'être solidement charpentée pour les travaux de la terre. Mais pourquoi ne serait-on pas fin et solide à la fois, matelot, ferme et doux, énergique et bon ? Il y a mille exemples à citer où les deux vont de pair. Corentin se reproche intérieurement sa tête de betterave comme à chaque fois qu'il a cru faire ou dire une sottise. Et il n'a qu'une envie, c'est de renouer la conversation avec... comment s'appelle-t-elle ? Hélèna. Et que vient-elle de dire ?

Qu'elle avait encore plus que lui l'habitude d'être laissée.

— Mais vous êtes chez vous, avec vos gens! Vous connaissez tout le monde!

Le maladroit. Ce n'est pas cela qu'il voulait dire. Il voulait dire qu'une jeune fille comme elle, on ne peut pas la laisser. On est tellement content d'être en sa compagnie — on ne sait pas pourquoi — que le feu pourrait prendre partout sans qu'on ait même l'idée d'y courir. Voilà ce qu'il aurait dit s'il avait trouvé ses mots et le courage de les mettre dehors.

Hélèna se tourne vers lui, s'approche, le regarde d'un air pensif. Elle aussi, semble-t-il, a de la peine à trouver ce qu'il faut dire. Elle doit avoir les yeux gris, mais avec la nuit et cette lanterne-tempête qui se balance, à près de vingt pas, de part et d'autre d'un poteau de hangar, il n'est pas facile d'être sûr. En tout cas, de la voir de face lui cause un tel choc qu'il se sent mal à l'aise d'être si heureux. Il la trouve plus que belle, autrement que belle, avec ce grand front lisse, ces pommettes qui sont juste à la place qu'il faut — les filles de Logan les ont plus hautes — ce nez qui semble n'être là qu'en exact fléau de balance pour faire tenir ensemble tout le reste, cette bouche grave qui est l'image exacte de la voix. Cette Hélèna, il l'appellerait Harmonie s'il connaissait le mot. C'est ainsi sans doute que l'appellera Pierre Goazcoz s'il la voit jamais. Elle parle lentement, soigneusement, pour expliquer qui elle est.

— Qui sait lequel est le plus étranger de nous deux? Je suis pauvre, matelot, si pauvre d'argent et de famille que je possède seulement la valeur de mes bras. Je n'avais pas encore dix-sept ans qu'on m'appelait déjà la vieille fille de Koad al Loc'h, vous comprenez ce que je veux dire. On a besoin de moi pour les semailles, les moissons, les récoltes, les moments durs de l'année. Je me loue dans les fermes pour avoir les quelques sous qu'il me faut. Et après le travail, comme cette nuit, il faut encore que je danse au milieu des autres parce que cela fait partie de ma tâche. Mais je suis fatiguée. Eux, ils peuvent danser jusqu'à bout de force avant l'aube, ils auront demain pour se reposer. Moi, demain, je recommence ailleurs à déterrer d'autres patates. Et ne croyez surtout pas que je me plains ni que je dis du mal des gens. Les gens ne sont pas mauvais. J'ai parlé seulement pour vous faire savoir quelle planète est la mienne.

Corentin emploie les trois quarts de ses forces à la regarder et il l'écoute avec le reste. Ce qu'il comprend le mieux, c'est qu'elle se laisse aller pour lui à des confidences qui ne doivent pas lui échapper souvent. Ce n'est pas seulement par habitude qu'il garde les mains au fond des poches, mais pour les empêcher de trembler. Il est hors de lui. Il voudrait expliquer à cette femme tout ce qui lui est arrivé par elle depuis un quart d'heure. Mais il ne trouve pas les mots qu'il faut, à supposer que ces mots existent. Et il s'entend dire, après une interminable hésitation dont il croit mourir.

— Vous avez... vous avez... un très beau visage.

Tête de betterave! Ne pouvait-il se taire, lui qui sait si bien rester silencieux? Ou opiner de la tête sans s'engager plus loin? Il ne sait pas quelle faute il a commise, mais les yeux gris devant lui virent au noir et il jurerait bien que des larmes y montent. En même temps, Hélèna se jette en arrière, ses grandes mains montent jusqu'à sa gorge, elle a du mal à faire descendre sa salive, et sa voix se hausse de plusieurs tons.

— Qu'est-ce que vous dites? Je n'ai pas de visage du tout. Je ne suis personne. Je ne compte pour rien.

Et d'ailleurs j'ai eu tort de vous parler. Adieu, matelot !

Elle recule vivement le long du mur, se retourne et disparaît dans la nuit sans qu'il ait la présence d'esprit de l'appeler, de lui courir après, de faire quelque chose de sage ou de fou, quelque chose d'autre que de rester planté là comme un pieu à répéter pour lui-même : si vous vouliez me prendre, si vous vouliez me prendre... Et les danseurs de la troisième gavotte passent en chaîne devant lui, emportés par les accents des deux chanteurs qui clament une histoire de retour de guerre dont on sent venir la fin. Mais lui ne voit plus que des bouches noires, des yeux creux. Il a suffi d'une phrase de trop pour que la fête de nuit tourne à la danse macabre.

La voix de Yann Quéré le fait sortir de sa torpeur. La gavotte est terminée, le soldat est revenu de guerre avec sept ans de retard, juste le jour où sa femme se remariait. Et la femme a renvoyé aussitôt le second mari pour reprendre le premier. Tout le monde est content et Yann Quéré plus que les autres parce que la gavotte des montagnes lui est bien revenue dans les jambes.

— J'ai un peu perdu le souffle qu'il faut pour ces danses-là, ce n'est pas le même que pour le travail de mer. Tu sais l'idée qui m'est venue ? Je vais apprendre notre gavotte aux jeunes gens de Logan. Mais tu es tout seul ? Où est Hélèna ?

— Elle est partie. D'un seul coup. Je ne sais pas pourquoi.

— Tu as parlé de travers, matelot, j'en ai peur.

— J'ai peut-être parlé de travers, oui. J'aurais dû me taire. Mais je n'ai pas pu.

— Allons, qu'est-ce que tu as dit ? Mot à mot.

— Je lui ai dit qu'elle avait un très beau visage.

— Tiens, c'est pourtant vrai qu'elle a un beau visage. Et ensuite ?

— Rien. Elle est partie tout soudain. La honte ou la colère, je ne sais pas.

— Ni l'une ni l'autre si je la connais bien. Qu'est-ce qui t'a pris de lui parler de son visage ? Elle a cru que tu la tournais en dérision. Comment te dirais-je ! Je crois que personne ne lui a jamais fait de compliment, mais des avanies elle en a subi de toute sorte. Les gens ne sont pas précisément mauvais, mais ils mettent en pratique un code qu'ils ne songent pas à discuter. Hélèna est la plus honnête fille qui marche dans ce canton, la plus travailleuse et peut-être la plus belle quand on sait la regarder. Est-ce que cela compte quand on n'a pas un liard troué ! Et elle est si pauvre, tu comprends, qu'on ne sait même pas qui est son père. Allons, matelot, viens manger un morceau et boire une goutte chez ma sœur. Elle y est peut-être. A nous deux, c'est bien le diable si nous n'arrivons pas à la convaincre que tu disais seulement la vérité.

Mais Hélèna n'était pas chez la sœur. Elle demeura introuvable. Corentin était si abattu que Yann Quéré, interrogeant les uns et les autres, parvint à savoir dans quelle ferme elle devait travailler le lendemain. Les deux garçons s'y rendirent, mais personne n'avait vu la couleur d'Hélèna et chacun s'en étonnait parce qu'elle était femme de parole. Peut-être était-elle malade pour la première fois de sa vie, cela peut arriver même à ceux qui ont hérité de la meilleure santé du monde. Ils montèrent jusqu'à la petite maison qu'elle avait achetée sur son épargne pour se donner de l'indépendance après ses journées de servitude. Visage de bois. La porte et l'unique fenêtre avaient été soigneusement closes comme en prévision d'une absence qui durerait aussi longtemps que les deux hommes resteraient dans le village. C'est du moins ce qu'ils comprirent sans qu'il fût besoin de paroles entre eux. Il ne leur restait plus qu'à rallier Logan et à se remettre à la discrétion de Pierre Goazcoz.

Si celui-ci fut étonné de voir remonter sur l'*Herbe d'Or* deux pêcheurs visiblement préoccupés et qui ne s'adressaient même plus la parole, il était trop discret pour en laisser rien paraître. Au reste, il lui parut évident qu'il n'y avait nulle fâcherie entre Corentin et Yann Quéré, au contraire. De temps à autre, Yann Quéré donnait une petite tape sur la nuque de son camarade comme pour l'encourager. Et Corentin le regardait avec des yeux reconnaissants bien que navrés. Mais tous les deux semblaient frappés d'impuissance à l'égard de quelque problème dont la solution les fuyait. Et Pierre Goazcoz, tout en les observant sans répit en mer et à terre, attendit que l'un ou l'autre eût recours à lui. Ou les deux ensemble. Il attendit en vain. A leur avis, il ne pouvait donc leur être d'aucun secours. Il n'ouvrit plus la bouche que pour les ordres nécessaires. Dans le même temps, Alain Douguet se renferma dans un mutisme rageur dont il s'évadait par des bordées de jurons quand quelque chose n'allait pas. L'*Herbe d'Or* n'avait plus d'équipage digne de ce nom. Chacun des hommes qui le montaient était livré à sa planète tandis que les corps s'activaient automatiquement au travail de mer. Pierre Goazcoz finit par s'inquiéter. Cette situation ne pouvait pas durer. Ou il se produirait quelque drame ou les trois gars déserteraient l'*Herbe d'Or,* tirant chacun de son côté avec l'obscur fardeau qui n'intéressait que lui seul.

Et la veille de Noël, on vit Corentin prendre le car dans ses habits du dimanche. Planté au seuil du bureau de tabac, Yann Quéré le regarda partir, puis il s'accouda au comptoir où il entreprit de se saouler sans un mot avant de rentrer laborieusement à son logis pour s'y enfermer à double tour. Tout Logan s'interrogeait sur les raisons qui avaient pu pousser à se donner ainsi en spectacle un jeune pêcheur qu'on n'avait jamais vu dérangé par excès de boisson. On alla prévenir Alain Douguet qui courut chez Pierre Goazcoz. Au lieu de s'inquiéter au sujet de Yann Quéré, le maître de l'*Herbe d'Or* déclara que tout allait bien de ce côté, qu'il n'y avait plus qu'à attendre le retour de Corentin comme le faisait Yann lui-même en ronflant sur son lit pour tuer le temps.

Cependant Corentin se démenait comme un beau diable au bénitier pour gagner la montagne. Aucun autocar ne conduisait au village ni même au bourg paroissial d'Hélèna. Ce n'était ni le jour ni la semaine. Il dut sauter de guimbarde en char à bancs pour se retrouver, à la nuit tombante, environ à deux lieues de Koad al Loc'h. Sa bonne figure lui valut de se faire ouvrir assez facilement les portes des fermes isolées de la montagne où il se perdit plusieurs fois. Quelque part, on lui donna même un jeune domestique pour le remettre dans le bon chemin. Il avait abordé la montagne par le versant opposé au bourg. L'accès était plus difficile de ce côté, outre que l'homme de la côte se trouvait déjà désorienté en pareil terroir. Mais, coûte que coûte, Corentin était décidé à aller jusqu'au bout de ce qu'il avait entrepris.

Or, parvenu au village, il le trouva désert. Beau frapper à toutes les portes, pas de réponse. Il était très tard, bien sûr, mais la nuit de Noël il espérait trouver quelques personnes sur pied. Lors de sa première venue, il avait fait la connaissance de presque tous les habitants. Ce qu'il voulait dans son obstination, c'était se faire accompagner par l'un

d'entre eux jusqu'à la petite maison d'Hélèna pour
ne pas nuire à la réputation de la jeune fille.
Désemparé, il errait sur la cour centrale où s'était
déroulée la fête de nuit quand il vit venir vers lui un
vieillard appuyé sur un bâton et qui sortait sûrement
de son lit en hâte car il n'avait pas de chapeau.

— Je n'ai pas peur de vous, cria le vieillard.

— Vous n'avez pas à avoir peur, répondit-il
aussitôt. Je suis un ami de Yann Quéré. Vous m'avez
déjà vu.

— Le matelot du sud ?

— Oui. Je vous demande excuse, je n'ai pas pu
arriver avant le milieu de la nuit. Mon pays est très
loin là-bas.

— Ils sont tous au bourg, à la messe de minuit, dit
le vieillard. Nous sommes restés ici, trois ou quatre,
parce que nous avons du mal à marcher.

Il leva son bâton très haut. Ce devait être un signal
convenu pour avertir qu'il n'y avait pas danger car,
presque aussitôt, une fenêtre s'éclaira. Quelqu'un,
dans la maison, avait allumé une lampe à pétrole.

— Quel est votre nom, déjà ?

— Corentin Roparz

— Vous pouvez venir chez moi, je vous ferai un
lit.

— J'aimerais voir Hélèna Morvan. J'ai quelque
chose à lui dire.

— Quelque chose d'honnête, sûrement, dit le
vieillard. Sinon vous vous seriez approché sans bruit
comme un voleur. Comme a fait son père autrefois.
Vous savez ?

— Je sais. Je n'ai jamais rien volé à personne.

— Vous voulez peut-être la demander en
mariage ?

— Mettons que oui.

— Vous la trouverez au bourg, à la messe de

minuit, si vous descendez assez vite. Je vais quand
même vous faire un lit. Ma maison est derrière moi.
Je vous attendrai jusqu'à l'aube. Je ne dors pas
beaucoup.

Déjà Corentin avait repéré le chemin qui dévalait
vers le bourg. Un trou noir, mais en bas brillaient
quelques lumières. Assez pour lui. Il y courut, tête
baissée.

— Corentin Roparz !

— Oui ?

— Si elle vous prend, elle vous fera honneur. Ici,
vous savez comme nous sommes.

— Je sais, cria Corentin sans se retourner. Ailleurs
c'est pareil.

Il faillit se rompre le cou vingt fois dans la sente
caillouteuse, éclairée d'une vague lueur céleste. Au
passage, il reconnut les restes des feux qui avaient
balisé le chemin pour la fête de nuit. Il descendait si
vite qu'il ne pouvait pas toujours se garer des ronces
qui le guettaient dans les tournants. Il y déchira sa
main gauche et la manche du même coup. Cette
femme-là sait coudre, se dit-il, elle va me réparer si
bien mon paletot qu'il sera comme neuf. La dernière
partie du trajet, il la fit à travers la lande, droit sur le
clocher, tant il avait peur d'arriver en retard. S'il
arrivait en retard, Héléna Morvan disparaîtrait de
nouveau, c'était sûr. Arrivé devant l'église éclairée, il
dut s'arrêter pour reprendre haleine. Sa poitrine
battait à coups de marteau. Ce qu'il entendait, était-
ce des rumeurs de prières ou la révolution de son
corps ? Et alors il eut peur. Si elle allait dire non ! Il
lui resterait à mourir dans cette montagne qui
n'aurait pas voulu de lui. Machinalement, il tira son
mouchoir pour essuyer le sang de sa main. Se
rappelant comment Héléna était tirée à quatre
épingles, il mit un peu d'ordre dans ses vêtements. Je

ne suis quand même pas un vagabond. Il respira du mieux qu'il put et entra par la porte des cloches en faisant tout son possible pour ne pas faire crier le cliquet. Hélèna devait sûrement être au bas de l'église. C'est là que se trouve la place des pauvres. Et à peine entré, il la vit. Il l'aurait reconnue sans peine dans la foule du Jugement Dernier. De l'assistance, tournée vers le chœur illuminé, il ne voyait que des dos. Un harmonium poussif gémissait du côté de l'épître. Elle était sous la corde des cloches, la grande fille aux fortes mains. Il devinait à peine son visage dans la pénombre, mais qu'avait-il besoin de le voir! Le prêtre entonna un cantique et tous les fidèles suivirent avec ferveur. C'était le bon moment. Corentin fit trois pas, se mit à la hauteur d'Hélèna, presque à la toucher. Chantant avec les autres, elle sentit une présence masculine à ses côtés. Elle s'arrêta de chanter et pencha un peu vers lui sa tête toujours tournée vers le chœur.

— Vous vous trompez. Ici, c'est réservé aux femmes. Les hommes sont à gauche du catafalque. Il y a encore de la place.

Elle ne l'avait pas reconnu. Elle sursauta lorsqu'il lui glissa dans l'oreille.

— C'est moi, Corentin Roparz, l'ami de votre cousin.

— Ah! Que voulez-vous, matelot? Vous ne devriez pas venir ici.

— Je crève de honte depuis ce soir de la fête où je vous ai offensée sans le vouloir. J'ai dit des paroles qu'il ne fallait pas dire. Pardonnez-moi.

— Je n'ai pas à vous pardonner. C'est moi qui ai trop d'orgueil.

— Vous avez raison d'en avoir. Pour les gens comme nous, c'est la seule chose qui ne coûte rien et qui vaut cher. Pardonnez-moi.

— Vous êtes pardonné. Du fond du cœur.

— Ce n'est pas assez. Il faut m'écouter maintenant.

Leur chuchotement était couvert par le cantique, mais quelques mots émergeaient dans les intervalles du chant. Déjà deux ou trois femmes étaient aux aguets. Elles n'osaient pas encore tourner carrément la tête, attendant la première occasion pour le faire.

— Allez dehors, souffla-t-elle. Je vous rejoins tout de suite.

Il sortit sur la pointe des pieds. Dehors, il s'empressa de remettre sa casquette sur la tête pour se donner du courage. Le plus dur restait à faire. Presque aussitôt, elle fut près de lui.

— Au nom de Dieu, allez-vous-en, matelot ! Vous me verrez ailleurs et demain si vous voulez. Je n'ai que ma bonne réputation. Voulez-vous me la faire perdre aussi ?

— Il faut m'écouter tout de suite. Je suis orphelin depuis mes deux ans. J'ai été élevé par les uns et les autres. D'aussi loin que je me souvienne, on m'appelait le pauvre Corentin par-ci, le pauvre Corentin par-là. Même quand j'ai passé l'âge de faire pitié, je suis resté le pauvre Corentin. C'est pourquoi je ne me suis jamais approché tout seul d'une jeune fille de mon pays. J'avais peur d'être appelé le pauvre Corentin, même gentiment et sans vouloir m'offenser. Quand je vous ai trouvée à la fête de nuit, j'ai su tout de suite, je ne sais pas comment, que j'étais Corentin Roparz et puis c'est tout, un jeune homme comme les autres, un peu timide bien qu'il ait fait la guerre. Mais vous, vous n'étiez pas une jeune fille comme les autres. Plus je vous regardais et plus j'avais envie de vous donner des noix plein votre tablier comme les femmes de Logan me donnaient des tartines de pain beurré quand j'étais petit. Mais une jeune fille n'est pas un enfant. Alors j'ai dit n'importe quoi. Et en disant n'importe quoi, je vous ai offensée. Je n'ai pas l'esprit vif, Hélèna Morvan, il me faut du temps pour reconnaître ce qui m'arrive.

— Et comment m'avez-vous offensée, matelot?

— Justement, c'est ce que je ne sais pas. Mais vous êtes partie fâchée. Le lendemain vous avez fermé votre maison, vous n'étiez pas à votre travail, on ne vous a trouvée nulle part et tout cela était de ma faute.

— Plutôt de la mienne. Je suis sotte. Je ne sais pas ce qui m'a pris, j'ai eu peur.

— Vous avez eu peur de moi?

— J'ai eu peur de quelqu'un qui me parlait comme vous me parliez, avec cette figure-là. Je n'ai pas l'habitude. Mais vous venez de me faire beaucoup de bien. Maintenant il faut me laisser.

— Je ne vous laisserai pas. Ecoutez encore! Yann Quéré m'a dit que vous étiez une fille sans père connu, donc plus portée à s'offenser qu'une autre. Si je l'avais su, j'aurais peut-être mieux trouvé les mots qu'il fallait. N'en parlons plus. Je suis retourné sur mon bateau plein de remords. Et puis, les jours passant après les jours, j'ai fini par découvrir le vrai nom de mon tourment. Il y avait un peu de remords, sans doute. Tout le reste, c'était de l'amour, comme on dit.

— Taisez-vous, matelot!

— Je me tairai dès que vous m'aurez dit si vous m'acceptez en mariage, oui ou non.

— Mais... Oh, mon Dieu, je ne sais plus bien... Donnez-moi un peu de temps pour...

— Vous n'avez pas du tout pensé à moi, bien sûr. C'est naturel. Vous n'avez même pas très bien vu ma figure. Si je ne vous avais pas fâchée, vous n'auriez aucun souvenir de moi.

— Si vous avez pu m'offenser, c'est que j'ai porté
bien attention à vos paroles. Et si je vous ai parlé,
c'est que j'avais envie de le faire.

— Alors vous savez déjà ce que vous allez répondre. Il faut en finir tout de suite. Je n'ai personne
pour vous porter ma demande. Je viens tout seul et je
serai seul à entendre la petite parole que vous avez à
dire. Cela ne fera aucun bruit dans le monde. Dans
mon cœur à moi, je ne dis pas.

— Matelot, matelot, si vous me prenez, vous
pourriez en avoir du regret. Et j'en mourrai de honte.

— Je ne suis qu'un pauvre diable. Je ne sais même
pas lire. On n'a jamais eu le temps de m'apprendre.
Mais je ne suis pas méchant et j'ai un bon métier
pour nourrir une famille. J'ai même des économies
pour nous mettre à l'aise. Tenez, je vous ai apporté
une épingle comme on en trouve dans les pardons.
Celle-ci est en or véritable. Ce n'est pas pour
l'orgueil, c'est parce que c'est le seul objet d'or que
j'aie jamais touché de mes mains. Je n'en toucherai
plus d'autre. Répondez-moi, Hélèna Morvan.

Elle se tourne vers lui. Deux grosses larmes lui
coulent sur les joues.

— Est-ce vrai, Corentin Roparz, que j'ai un beau
visage? N'avez-vous pas dit cela pour vous moquer
de moi ou pour me prendre en pitié?

— Si beau que je n'ose pas le regarder.

— Il faut pourtant vous habituer à lui. Car
désormais il est à vous.

— Voilà tout juste comment cela s'est passé. Elle
est rentrée dans l'église. Moi, je suis remonté tout
seul au village. Le vieillard avait allumé une lampe
Pigeon sur l'appui de sa fenêtre pour m'indiquer sa
maison. Je me suis reposé chez lui le reste de la nuit,

mais je n'ai pas pu dormir tellement j'étais bouleversé. Lui non plus n'a pas dormi. Nous n'avons pas cessé de parler d'Hélèna Morvan. Elle est un peu de sa famille, de loin mais qu'importe, là-bas on se tient jusqu'à la quatrième génération. Il était content qu'Hélèna ait trouvé quelqu'un, non pas pour s'occuper d'elle car elle n'a besoin de personne, mais pour lui donner un nom d'homme à la place de celui de sa mère. Le lendemain, il a mis ses meilleurs habits, il est venu avec moi pour la demander en mariage comme il faut. Le temps de publier les bans et elle est devenue ma femme. Une toute petite noce. De mon côté, il n'y avait que Yann Quéré. J'aurais bien invité mes amis de Logan, vous autres les premiers, nous aurions loué le car de Joz pour monter là-haut, bien décidés à mettre de la joie dans le bourg, mais c'est elle qui n'a pas voulu. « Laissez-moi m'habituer un peu, disait-elle. Vous me raconterez comment ils sont dans le sud, et puis j'irai me présenter à eux. » Alors voilà ! En ce moment, elle doit nous attendre chez ta mère.

Les deux hommes étaient ramassés l'un contre l'autre sous l'avant, presque bouche à bouche, les genoux ramenés contre le ventre. Deux masses blanches, immobiles. Une buée sortait des lèvres de Corentin. Alain Douguet l'écoutait de tout son corps. A quoi pensait-il ? Aucune parole n'était sortie de lui pendant que parlait son camarade. Quand celui-ci se tut, il dit simplement, avec effort :

— Tiens. Il ne neige plus.

Un silence assez long et la voix de Corentin :

— C'est peut-être le vent qui arrive.

— Il faudrait jeter toute cette neige à l'eau, dit Alain Douguet. Si elle se met à fondre dans la barque... Et nous n'avons que nos mains.

— Allons-y ! soupira Corentin.

On le sentait désappointé. L'autre se mit sur le dos, étendit ses jambes. Un petit rire bref.

— Nous avons le temps. Il n'y a pas le feu, comme on dit. Mais tu m'as étonné, Corentin. Tu ne sais pas lire, toi ?

— Hé non, je ne sais pas lire. J'ai presque dix ans de plus que toi. En ce temps-là, tu sais, les pauvres bougres... Ni écrire non plus, bien sûr. Je dessine bien mon nom, au bas des feuilles, quand il faut signer. Pour moi, le papier d'écriture, c'est de la farine de blé noir avec beaucoup de son.

— Mais je te vois lire le journal de temps en temps.

— Tu m'as vu regarder les images quand il y en a.

— Et quand nous revenons à terre, il y a souvent une lettre de ta femme qui t'attend à la poste.

— Justement. Et j'ouvre la lettre et je me mets dans un coin pour faire semblant de lire. Mais je ne vois pas clair dans les signes qu'il y a dessus. La tête me tourne. Remarque bien que je suis content. C'est la main de ma femme qui a écrit tout ça pour moi. Et je sais que la dernière ligne, dans le bas, veut dire Hélèna Morvan, femme Roparz.

— Mais voyons, Corentin, si j'avais su... Pourquoi ne pas me demander de te lire tes lettres ? A moi ou à l'un des autres ? Et s'il y avait dedans une nouvelle grave, des fois ?

— Alors elle m'enverrait un télégramme. Ou bien elle téléphonerait chez Lich Mallégol. Elle sait comment faire avec le téléphone. Elle sait tout, cette Hélèna.

— Mais pourquoi t'écrit-elle puisque tu ne sais pas lire ?

— Ce sont des lettres d'amour. C'est pour me dire qu'elle ne m'oublie pas. Une lettre pareille, tu comprends, c'est comme un cadeau qu'on reçoit, un cadeau précieux. On n'a pas forcément besoin de la lire. Il suffit de la tenir dans les mains, de la sentir dans sa vareuse. Et la faire lire par un autre, même le meilleur ami, on n'ose pas. Je ne veux pas t'offenser, Alain Douguet, mais ce n'est pas convenable.

— Tu peux compter que je ne dirais rien à personne. Jamais.

— Ce n'est pas manque de confiance. C'est parce que tu serais gêné de lire les choses qu'elle m'écrit.

— Ah, peut-être! Des gars comme toi, Corentin, sont bons à mettre dans les romans. Et je ne le dis pas pour me moquer. Tu as de la chance.

— Je sais bien. Moi-même je me trouve tout changé depuis que je connais cette femme. C'est drôle, pendant la tempête, c'est miracle si nous ne sommes pas allés par le fond. Mais moi, je n'ai jamais pensé à la noyade parce qu'Hélèna Morvan me retient du haut de sa montagne. Et même si je me noyais, je ne mourrais pas quand même tant qu'elle serait en vie. Tu vas croire que j'ai perdu la tête.

— Je ne crois rien du tout. Mais, si tu veux, je t'apprendrai à lire.

— Non, c'est elle qui m'apprendra. Pour le moment, je préfère ne pas savoir.

— Mais pourquoi?

— Je préfère entendre la voix d'Hélèna me lire ses propres écritures quand je vais la voir dans notre maison, tous les mois. Le soir de mon arrivée, je sors de ma vareuse le morceau de toile cirée où je range ses lettres et je les lui donne, l'une après l'autre. Alors, je me mets à rouler une cigarette, en trem-blant, et j'écoute sa voix grave avec tant d'ardeur que je ferme parfois les yeux pour mieux entendre. Ma femme relit tout et elle donne des explications quand il faut. A la fin, j'ai répandu tout mon tabac sur la table et crevé toutes mes feuilles tellement je suis

heureux. Hélèna Morvan se met à rire et me dit :
« Vous feriez mieux de fumer la pipe, Corentin. »
Tiens ! Voilà l'étui où je mets ses lettres.

— Tu n'en as qu'une, cette fois-ci ?

— Une seule, oui. Il n'y a pas quinze jours que je
suis allé chez elle... enfin, chez nous. J'aurais dû y
retourner hier ou du moins aller la chercher à moitié
route. Elle était si contente de venir passer la nuit de
Noël chez ta mère et de faire connaissance avec les
gens d'ici. Nous devions aller à la messe de minuit en
souvenir de l'an dernier. Je me demande ce qu'elle
doit penser de moi.

— Elle sait sûrement que nous sommes pris dans
la tempête, que tu n'as pas pu...

— Elle ne sait peut-être rien. Je lui ai dit de ne pas
lire les journaux. Tu comprends, elle n'a jamais vu
l'océan, elle ne sait pas bien ce que c'est. Dis-moi,
Alain Douguet, est-ce que tu voudrais me lire cette
lettre, pour une fois ? C'est à cause de cette sacrée
tempête. On n'arrête pas de s'interroger la
conscience.

— Mais on n'y voit pas assez, Corentin.

— Je vais t'allumer mon briquet. Celui-là est si
bien fermé qu'il ne prend jamais l'eau. Voilà ! Du
premier coup. Et ce n'est même pas la peine d'abriter
la flamme, elle ne bouge pas d'un poil.

— Donne ta lettre. Voyons : monsieur Corentin
Roparz, marin-pêcheur, chez madame veuve Douguet, Logan. Elle a une belle écriture, toujours.

— La postière trouve aussi. Ce qui m'étonne un
peu, c'est qu'elle me mette monsieur. Je ne peux pas
m'habituer à ce mot-là. Il paraît qu'on le met à tout
le monde, sur les enveloppes.

— « Mon cher Corentin. Celle-ci est pour vous
dire que tout va bien par ici et que j'ai fini de
retourner la pièce de terre derrière la maison avant la

gelée. Le lait de la vache que vous avez achetée ne cesse de donner de plus en plus de crème. C'est un plaisir d'avoir un animal pareil et j'en suis bien fière. Je ne regrette pas le temps que je passe autour d'elle. »

— Et elle en passe. Ce n'est pas le travail qui lui fait peur. Elle n'est pas femme à sortir une vache qui serait crottée aux flancs. Le poil tout lisse.

— « Hier, il a commencé à faire froid. Et tout d'un coup j'ai pensé que vous n'aviez peut-être pas assez de laine sur le dos. Il ne faut pas m'en vouloir. Je ne suis pas mariée avec vous depuis assez longtemps. Je ne sais pas encore très bien comment vous êtes habillés sur l'eau, vous autres pêcheurs. J'ai couru au bourg pour acheter de la laine. J'ai couru si vite que j'ai presque perdu le souffle et que je pleurais des larmes en arrivant chez la marchande. Je devrais penser pourtant qu'une femme mariée ne court pas comme une chèvre par les chemins. »

— Tu vois comment elle est.

— « On dit que le temps est mauvais par là-bas. Gardez-vous de prendre du mal. Vous ne serez peut-être pas rentré au port à temps pour venir me chercher. Cela ne m'empêchera pas de me trouver chez Marie-Jeanne Quillivic le soir de Noël quoi qu'il arrive. Nous avons promis de ne manquer aucune messe de Noël jusqu'à la fin de notre vie, vous savez pourquoi. Je vous apporterai votre chandail neuf. Ainsi soit-il. Hélèna Morvan, femme Roparz. »

— A la bonne heure. J'ai presque reconnu sa voix sous la tienne. Je savais bien que je serais guéri par cette lettre. Je me faisais du souci à cause de cette messe de minuit, de la minuit qui vient. Et elle a décidé de venir toute seule chez ta mère. Elle y sera. Elle y est déjà, sans doute. Quelquefois je me dis qu'elle est un peu sorcière. Sors donc la montre de ton père. Quelle heure est-il dessus ?

— On approche de neuf heures. Et ce sacré vent qui ne veut pas de nous. Quand j'aurai un bateau à moi, je lui mettrai un moteur au derrière.

— Et tu auras raison. Moi, je ne verrai pas ça. Avec Hélèna Morvan, je suis libre de faire ce que je veux. Elle aussi, bien sûr. Si je faisais semblant de lui demander, elle viendrait s'installer avec moi à Logan. Mais c'est moi qui monterai là-haut. Elle et moi, nous avons assez d'argent pour agrandir la maison, ajouter une crèche pour deux cochons. Il y a des terres à louer qui ne sont pas mauvaises. De quoi vivre gentiment. Il faudra que je prenne de nouvelles habitudes. Mais si les paysans font de bons marins, pourquoi un marin ne ferait-il pas un paysan convenable ? Hélèna m'apprendra tout ce qu'il faut savoir de la terre.

— Comme disent les campagnards d'ici, là où la vache est attachée, il faut qu'elle broute. Tu as trouvé ton pieu et ta corde, Corentin.

Le ton d'Alain Douguet est un peu aigre. Est-il jaloux de la sérénité de l'autre ou veut-il lui faire comprendre sa déception de le voir abandonner son état de pêcheur pour celui de « coupeur-de-vers » ? L'océan, avec ses humeurs et ses dangers, c'est tout de même le mouvement, la liberté qui n'est pas d'être son maître, mais d'avoir autour de soi l'immensité sans barrière, sans propriétaire, la recherche aventureuse du poisson, la communauté masculine en l'absence des menus tracas féminins. Et les femmes, le diable sait ce qu'elles peuvent faire de vous. Cette Hélèna Morvan, avec toutes ses vertus, c'est quand même le pieu et la corde. Est-ce que Lina Kersaudy, si elle avait dit oui, l'aurait obligé à descendre à terre pour éplucher les légumes dans la cuisine de Lich

Mallégol? Heureusement elle a dit non. Il aura une barque avec un moteur et salut la compagnie! Les femmes...

Vers l'avant se lève, s'ébroue, s'étire un tas de neige. C'est Yann Quéré, ce foutu paysan. Il se racle la gorge et se met à chanter comme s'il était dans ses montagnes pourries, le fumier.

Quand j'étais ce matin, allant chercher de l'eau
J'entendis rossignol au bois qui chantait beau

— Ferme ta gueule, hurle Alain Douguet, fou de rage.

— C'est pour faire venir le vent, répond l'autre. Et il continue.

Dans son jargon disait, tapi dans la ramée,
Quand vient sur nous l'hiver, toute fleur s'est fanée.

Le prélude d'une chanson d'amour, on dirait, Alain Douguet n'en peut plus. Il serait capable d'étrangler le chanteur. Au lieu de cela, il sent des larmes qui lui coulent sur les joues. Il s'affaisse contre le bordage. Yann Quéré s'arrête. Il ne l'a pas quitté des yeux.

— Du vent, gémit Alain Douguet. Il n'y en a pas assez pour éteindre un cierge au haut du mât. Un cierge, voilà ce qu'il nous faudrait, maintenant, au-dessus de cette barcasse qui est un cercueil sans couvercle.

— Pourquoi t'énerves-tu? dit la voix tranquille du paysan. Il n'y a rien de perdu.

— Je ne m'énerve pas. Je fais du vent avec ma bouche pour essayer de faire bouger ce maudit sabot.

— Et puis cela réchauffe, Alain Douguet. Il fait un froid de loup.

Corentin est avec Hélèna, quelque part ailleurs. Pierre Goazcoz, statufié, ne donne pas signe de vie. A ses pieds, soudain, un autre tas de neige se démène comme s'il contenait une potée de souris. Apparaît vaguement une tête frisée, pourvue d'un nez retroussé à pleuvoir dedans. C'est le mousse Herri qui fait surface.

— J'ai froid. Où sommes-nous ?

— Nulle part, dit Yann Quéré en lui caressant la tête. Nous attendons le vent pour rentrer. Il va se lever bientôt.

— Je suis tout trempé par-dessous. C'est de la neige, tout ça ?

— De la neige, oui. Lève-toi, allons, lève-toi !

Le petit se met debout. Yann Quéré s'accroupit, ses mains tâtent soigneusement les planches du fond. Puis il remonte vers l'avant et souffle dans l'oreille d'Alain Douguet.

— Je ne sais pas comment cela se fait. On prend de l'eau par bâbord arrière. Le bateau est en train de s'ouvrir. L'*Herbe d'Or* est foutu !

Alain Douguet éclate d'un rire qui n'en finit pas. Il assène de grandes claques sur l'épaule du mari d'Hélèna Morvan.

— Qu'est-ce qui t'arrive ? dit Corentin.

— Un cercueil sans couvercle et pourri du fond !

Avec effort, Pierre Goazcoz ouvre à demi les yeux. Une voix méconnaissable s'échappe de lui.

Et c'est ainsi qu'ils abordèrent au pays
Où la nuit n'est que soir, le jour promesse d'aube,
Les deux si bien pétris de toute éternité
Qu'il n'est plus de soleil pour mesurer le temps.

VI

Marie-Jeanne Quillivic s'est relevée. Elle est allée s'appuyer contre le manteau de la cheminée. Elle émet une sorte de plainte sourde, à peine audible, qu'elle interrompt pour frapper violemment la terre de son sabot, mais la plainte reprend presque aussitôt. C'est maintenant le vieux Nonna qui est à genoux. Il a pu s'y mettre, non sans peine, en s'aidant du bord de la table. Ses vieilles jambes manœuvrent bien, d'habitude, ce soir il a beaucoup de mal à s'en faire obéir. A tâtons, il s'applique à ramasser les débris du bol bleu qu'il repose à mesure sur le banc des hommes. Soigneusement. Sans bruit. Il sait que Marie-Jeanne ne voudra plus y toucher. Quand il a fini, il promène encore une fois sa main sur le sol, au cas où il aurait oublié quelque petit tesson. C'est curieux, mais cette besogne lui fait du bien. Il se remet debout du mieux qu'il peut.

— On pourrait refaire un peu de feu, Marie-Jeanne. Toute cette neige qui tombe a refroidi le temps. Voulez-vous que je casse un fagot ?

La plainte cesse pour faire place à un halètement pressé !

— Les morts n'ont pas besoin de feu.

— En vérité, je pensais que lorsque les gars de

l'*Herbe d'Or* entreront tout à l'heure, ils seront bien contents de trouver une maison chaude. Il y a déjà quelque temps que la mer s'est calmée. Tel que je connais Pierre Goazcoz, il a cédé à la tempête le moins qu'il a pu. Il n'est pas loin. En ce moment, il doit être en train de guetter la première risée pour s'appuyer sur elle. Si le vent veut bien se lever il n'en laissera pas passer le moindre souffle.

— Perdus. Ils sont perdus. Il n'y a plus d'*Herbe d'Or.*

— Moi, je sais qu'il est encore sur l'eau.

— L'oiseau *morskoul* a frappé à ma vitre. J'ai vu mes trois hommes là, sur le banc, devant moi. Et j'ai cassé le bol d'Alain Douguet.

Nonna Kerouédan sent monter en lui une colère qui n'ose pas dire son nom. Entendre des choses pareilles de la part d'une femme qui a toujours vécu d'attente et n'a cru à la mort qu'en prenant dans ses bras les cadavres de ses hommes ! Il faut que, cette fois-ci, elle ait touché le fond du gouffre.

Il est vrai qu'il s'agit de son dernier fils. Après lui, elle n'a plus personne, il n'y a plus rien, plus de monde ici-bas. N'est-elle pas déjà de l'autre côté, avec eux ! Ne vaut-il pas mieux l'y laisser ! A quoi servirait-il de la secouer, de lui reprocher son abandon avec des éclats de voix ! Du bruit qu'elle n'entendrait même pas. Elle est au-delà de tout reproche. D'ailleurs, pour être franc, s'il se fâchait tout rouge, ce serait contre lui-même. Lui aussi est sur le point de s'abandonner. Doucement. Doucement. Comment la faire sortir de ce froid, éveiller en elle — et en lui du même coup — cette étincelle de vigueur qui a pour nom espoir ! Malgré le poids des *intersignes,* c'est une femme de raison. Les *intersignes* ne mentent jamais, bien sûr, mais celui qui les reçoit ne sait pas toujours les interpréter comme il faut. Toute faible que soit la raison contre l'énormité du destin qui vous écrase, elle est pourtant le dernier recours. Nonna Kerouédan s'assoit sur le banc du lit. Du côté de la cheminée, la plainte se fait de plus en plus faible. Le vieux se racle la gorge pour assurer sa parole.

— Ecoutez, Marie-Jeanne. Si votre fils était mort, mettons, vous l'auriez vu sur le banc avec les trois autres. Est-ce que vous l'avez vu ?

Elle arrête de gémir. Un silence assez long et une faible voix s'élève, une voix de fillette en proie au gros chagrin.

— Je ne l'ai pas vu, non. Il n'était pas avec eux.

— C'est qu'il n'est pas avec eux, mais avec nous. Les *intersignes,* on peut y croire seulement quand on les reçoit de sang-froid, sans les attendre. Vous, vous les attendiez, vous êtes allée au-devant d'eux et, comme vous n'étiez pas dans votre état ordinaire, vous avez pris pour des prémonitions ce qui n'était que des coups de hasard comme il y en a souvent. Des oiseaux *morskoul,* ce n'est pas ce qui manque, vous le savez bien, et d'ailleurs...

— Taisez-vous ! On vient.

Elle a crié pour l'interrompre, mais sa voix est ferme. Ainsi fait-on pour couper la parole à un bavard quand il se passe quelque chose de plus important que ses vains propos. Dommage, Nonna croyait bien qu'il avait des chances de la convaincre.

— Je n'entends rien. Comment pouvez-vous ?...

— Moi, j'entends que l'on frappe à la barrière de la cour avec des sabots pour en faire tomber la neige.

Les voilà aux aguets tous les deux. Et l'on frappe à la porte, quatre ou cinq coups. On frappe du poing fermé, mais les coups ne sont pas pressés comme en cas d'urgence, on veut seulement savoir s'il y a du monde à l'intérieur.

— C'est pourtant vrai. Il y a quelqu'un dehors. Au nom de Dieu, Marie-Jeanne, il faut défaire la chapelle blanche, ranger les draps et allumer la lampe. Que diront-ils, s'ils voient ça ?

— Parlez moins fort. Ce ne sont pas les hommes, il y aurait des cris et des rires. Mais allumez quand même. Je vais descendre les toiles et fermer le lit. Les étrangers n'ont pas besoin de savoir, surtout s'ils sont étrangers de près. Et puis... Quelque chose me dit que je dois ouvrir. Mon cœur se remet à battre comme un cœur vivant.

— Vous voyez bien. Voilà un *intersigne* que vous n'attendiez pas. C'est peut-être le bon.

Elle va vivement se coller contre la porte.

— Qui est là ? Qui êtes-vous ?

Celle qui répond a une telle voix qu'on la dirait déjà présente à l'intérieur de la maison.

— Je suis Hélèna Morvan, la femme de Corentin Roparz.

— La femme de... Est-ce possible ! Je ne vous attendais plus. Je vais vous ouvrir. Attendez un peu. Je... je ne sais plus ce que j'ai fait de la clé.

— Prenez votre temps, Marie-Jeanne Quillivic.

Marie-Jeanne, le souffle court, revient vers le lit-clos, entre dedans à genoux, la tête la première et décroche la chapelle blanche, non sans prendre soin de replier les draps comme s'ils sortaient de l'armoire. Cela va vite parce que les plis y sont restés. Elle fait disparaître les rubans noirs, l'assiette à eau bénite, tout l'apparat funèbre. Et elle houspille le vieux Nonna en se contenant du mieux qu'elle peut.

— Qu'attendez-vous pour m'aider, vieux traînard ! Soufflez le cierge, mettez-le sous la table ! La lampe à pétrole est sur le vaisselier. Allumez-la donc ! Allons, pressez-vous ! Nous n'allons pas laisser la femme de Corentin dehors par le froid qu'il fait !

— A la bonne heure, dit Nonna tranquillement pendant qu'il fait ce qu'elle ordonne. Vous allez beaucoup mieux, Marie-Jeanne, voilà que vous commencez à mentir.

— Mentir, moi ?

— Vous. Il n'y a pas de clé sur la porte. Et la barre n'est pas mise.

Elle grommelle des injures entre ses dents. Elle en oublie de refermer le lit-clos. Quand la lampe s'allume, Nonna voit qu'elle est toute rouge. Avec des gestes brusques, elle remet un peu d'ordre dans ses vêtements avant de se précipiter vers la porte qu'elle ouvre en grand. Devant le seuil, il y a une grande femme en cornette et, derrière elle, quelqu'un d'autre, encapuchonné. Un homme, on dirait. Non, c'est une autre femme. De là où il est, Nonna peut voir sa robe et les sabots-claques jaunes qu'elle porte aux pieds.

— Entrez donc, Hélèna ! Soyez la bienvenue dans cette maison.

Sur le pas de la porte, la grande femme ne bouge pas.

— Je suis confuse de vous déranger si tard. Corentin devait venir me chercher dans mon village pour m'amener chez vous ce soir. C'était entendu.

— Oui, c'était entendu. Entrez !

— Mais les hommes de mer, je le sais bien, ne font pas toujours ce qu'ils veulent, n'est-ce pas ! Alors, je me suis débrouillée comme j'ai pu. Celle-ci est une amie qui a bien voulu m'accompagner jusqu'à chez vous.

— C'est très bien. La bienvenue à elle aussi. Entrez donc tout à fait.

Hélèna franchit le seuil, penchant la tête pour faire passer sa cornette, l'autre femme dans son ombre. L'autre femme, d'une main sans bague, tient le

capuchon de son manteau d'homme si serré autour
de son visage que l'on devine à peine son regard,
encore ne lève-t-elle ses paupières que le temps de
cligner. Hélèna, derrière la lampe, aperçoit le vieux
Nonna, immobile, qui ne sait quoi faire de sa
personne. Elle sourit. Du coup, la lumière paraît
doubler dans la pièce.

— Et celui-ci est peut-être Nonna Kerouédan ?

— C'est moi, dit Nonna, stupéfait, qui se sent
mollir. Mais comment ?...

— Corentin m'a parlé de vous aussi. Je n'étais pas
sûre, mais quand Corentin parle de quelqu'un de sa
compagnie, on arrive presque à le voir. C'est comme
si je vous avais déjà vu.

— Par exemple ! parvient à bredouiller le vieux.

Il est ravi. Marie-Jeanne Quillivic dévore des yeux
Hélèna. Soudain, elle sent qu'il lui faut faire quelque
chose, sinon elle va s'étourdir et le crève-cœur risque
de l'envahir de nouveau. Il est toujours tapi quelque
part dans ses profondeurs.

— Et vous, Nonna, qu'est-ce que vous attendez
pour casser un peu de bois ! Vous ne voyez pas qu'il
nous faut du feu pour dégourdir ces deux femmes !
Elles ont eu assez froid sur les routes. Allons !

— Tout de suite, commère, tout de suite.

Et il ne bouge pas. Il lui faut le temps de digérer
son émotion. Le pauvre homme n'en revient pas
d'être connu d'Hélèna Morvan.

— Les hommes, vous savez, ne valent rien dans
une maison. Il y a bien une heure que je lui ai dit de
le casser, ce bois. Vous croyez qu'il l'aurait fait ! Et ce
n'est pas un mauvais homme, Nonna, oh non ! Mais
c'est seulement un homme. Je vais moudre le café.

— J'aimerais vous aider un peu.

— Jamais de la vie ! Venez vous asseoir sur le
banc du lit, toutes les deux. Allons, Nonna, qu'est-ce

que je vous ai dit! Tirez-vous de là, laissez-les prendre place!

Nonna, tout confus, parvient à se mettre en mouvement. Il trottine vers l'âtre, empoigne un fagot dans le coin à bois, attendant la prochaine algarade qui ne manquera pas de venir et qui fera du bien à Marie-Jeanne. Il est tout content, Nonna, de se faire houspiller. Hélèna prend sa compagne par le bras et la pousse vers le haut bout du banc, là où règne la pénombre. Elle-même s'assoit sous la lampe parce que le milieu du banc est occupé par la pile de draps de la chapelle blanche. Après ses aventures de la journée, elle est nette et lisse comme une figure d'église. Et comment a-t-elle fait pour que sa cornette ne soit pas seulement défraîchie? Elle n'a même pas de parapluie. Dans le sac en toile cirée, il doit y avoir un grand mouchoir dont elle se couvre la tête en cas de besoin. Mais en a-t-elle seulement besoin, pense Nonna, transporté d'admiration sans réserve. Quel mauvais temps pourrait prévaloir contre pareille créature!

— De moudre du café m'aurait un peu réchauffée, dit la femme de la montagne avec un sourire espiègle.

Elle a compris que Marie-Jeanne avait besoin de se mettre en colère contre Nonna. Une colère qui n'altère en rien l'affection bourrue qu'elle a pour lui. Une feinte colère, en somme, qui ne saurait tromper le vieillard. Et il se laisse morigéner par elle, sachant qu'elle ne le fait que pour prendre appui sur lui et remettre à plus tard certains sujets de conversation qu'il n'est pas encore temps d'aborder. C'est pourquoi Hélèna, fine mouche qu'elle est, fait exprès d'entretenir la querelle que Marie-Jeanne cherche à Nonna. C'est autant de gagné. Et elle y réussit. Marie-Jeanne hausse encore le ton. On dirait vraiment qu'elle est fâchée.

— Vous voyez, Nonna ! Ces deux pauvres chères ont froid dans ma maison. Et à cause de vous. Hélèna Morvan, qui vient de si loin pour nous voir, je devrais la laisser travailler pour ramener un peu de chaleur dans ses membres. Vous n'avez pas honte ! Faites-nous du feu au lieu de rester planté là comme un poteau de barrière.

Nonna ne reste pas planté du tout. Il se démène maintenant comme un beau diable avec son fagot qui lui joue des tours. Et il se demande déjà où donc il a pu mettre les allumettes. Hélèna vient à son secours.

— Il fait quand même plus chaud chez vous que dans les montagnes. Et je vois que Corentin m'a dit vrai. Les maisons des pêcheurs sont plus joliment arrangées que les nôtres, là-bas. Tiens ! Vous avez cassé un bol ?

— Oui. Ce n'est rien. Laissez donc. A mon âge, on n'est pas toujours maîtresse de ses mains.

— C'est un bol bleu. Quand on casse un bol bleu, dans un ménage, cela veut dire qu'il y a un enfant qui est devenu un homme.

— C'est le bol de mon fils Alain Douguet.

— Il est donc temps de le marier. Mais vous avez des draps frais, ici, sur le banc, des draps qui sortent de l'armoire. S'il y a un lit à faire, je m'y entends aussi bien qu'une autre.

— Des draps, oui. Ce sont des draps.

— Ceux de votre lit-clos.

— Non ! Non non ! Je les ai sortis pour vous. Et puis, avec le mauvais temps et tout le reste, ce Nonna Kerouédan qui est venu battre de la langue dans ma maison, j'ai oublié de faire votre lit. Avec l'âge, la tête se perd pour le moindre dérangement. J'ai un grand lit, dans la pièce qui est de l'autre côté du couloir, où couche mon fils Alain. Corentin habite sous le toit, dans une mansarde bien arrangée, mais il n'y a pas trop de place et le lit est étroit. Alain a proposé de vous laisser sa chambre et de monter là-haut tant que vous serez avec nous. Vous resterez autant que vous voudrez. Non seulement il n'est pas gêné, mais il aura du plaisir à retrouver le coin qui était le sien depuis son enfance jusqu'à l'arrivée de Corentin. Tenez ! Puisque vous avez envie de vous donner du mouvement, prenez les draps et allez le préparer, votre lit. Je vais vous allumer la lampe Pigeon. Allez-y toutes les deux, si vous voulez, pendant que je fais mon petit train.

— C'est ça. Nous allons faire le lit. Venez, jeune fille.

Pendant qu'elle allume la lampe, Marie-Jeanne Quillivic cherche en vain de quoi elle est coupable. Elle finit par trouver.

— Quelle pitié de vieillir ! Voilà que j'ai oublié de demander le nom de celle qui est avec vous. Elle va me prendre pour une femme sans façons. Et Nonna Kerouédan, qui n'a rien à faire, n'y a pas pensé non plus.

— Je vous raconterai tout quand nous serons revenues, dit Hélèna. Montrez-nous la chambre, s'il vous plaît.

Marie-Jeanne les précède avec la petite lampe. Nonna Kerouédan, qui n'a rien à faire, a pourtant réussi à faire flamber gaillardement son feu. Du coin à bois, il a tiré trois grosses bûches. Le vieil homme a presque oublié l'*Herbe d'Or* et son équipage. Ils sont en pêche comme d'habitude, on verra bien quand ils reviendront. Et ils sont forcés de revenir, maintenant que cette femme de la montagne est venue les attendre. Ils ne peuvent pas faire autrement. Ce qui l'intrigue, Nonna, c'est le comportement de Lina Kersaudy qui accompagne Hélèna Morvan. Il a su tout de suite que c'était elle à cause de ce manteau marin qui est toujours accroché dans le couloir de l'hôtel, le manteau de son défunt père. Lui-même l'a emprunté quelquefois pour rentrer chez lui quand il pleuvait trop fort. Pierre Goazcoz aussi. Et les sabots-claques jaunes, il n'y a que la fille de Lich Mallégol pour en avoir d'aussi beaux. Mais pourquoi n'a-t-elle pas voulu montrer son visage? Pourquoi s'est-elle dissimulée de son mieux, profitant de sa taille plutôt menue, derrière le grand corps de l'autre. Comme si elle ne voulait pas être reconnue. Comme si elle avait honte de quelque chose. Et Marie-Jeanne, à qui rien n'échappe d'habitude, n'a pas l'air d'avoir retrouvé, sous le manteau à capuchon, la plus belle chevrette de Logan. Les femmes, on ne sait jamais ce qui leur passe par la tête. Ce ne sont pas les mêmes créatures que les hommes, on le sait depuis le Paradis Terrestre. Mais lui, Nonna, n'est pas tombé de la dernière averse. Il a senti que les deux visiteuses étaient complices, qu'il fallait les laisser jouer leur jeu sans risquer de déranger la partie par des paroles de trop. D'ailleurs, il ne tardera pas à savoir ce qu'il en est. Voilà justement Marie-Jeanne qui revient, tout affairée. Elle va se frotter les mains devant les flammes.

— C'est bien, Nonna, c'est très bien. Pour un homme, vous n'êtes pas trop maladroit. Vous savez au moins faire partir un feu comme il faut quand vous vous en donnez la peine. Je vais leur cuire une omelette ; j'ai justement des œufs, presque une douzaine.

— On dirait que vous pleurez, Marie-Jeanne.

— Je ne pleure pas, vieux radoteur, je ris. C'est son visage, Nonna. Vous avez vu son visage ? Celle-là est capable de faire un miracle si elle veut. J'ai entendu dire que ces paysans des montagnes avaient des *pouvoirs*.

— Je ne suis pas étonné. C'est la femme de

Corentin. Et Corentin lui-même, quand on réfléchit, il vous donne confiance en tout. Il y en a qui disent qu'il pourrait guérir des maladies rien qu'en s'asseyant à côté des malades. Et s'il est allé chercher une femme dans les montagnes, ce n'est pas pour rien.

— L'autre femme qui est avec elle, je vais lui donner mon lit. Je m'arrangerai une paillasse là-haut, dans le grenier. Elle doit être jeune fille encore. Vous avez vu comme elle est timide! Ou peut-être était-elle transie de froid, la pauvre petite. On est tendre, à cet âge. Et moi, avec ma tête épaisse, je n'ai même pas pensé à lui faire dire qui elle était. Nous sommes des malappris, Nonna Kerouédan, vous et moi. J'étais tellement occupée à regarder Hélèna Morvan, à écouter ce qu'elle disait, que je n'ai pas fait attention du tout à son amie. Il n'y avait plus qu'elle. Il n'y avait plus rien ni personne à voir autour d'elle. J'en suis encore toute retournée.

— Je ne crois pas que vous ayez à loger dans votre maison cette jeune fille qui est venue avec Hélèna Morvan. Elle doit être de Logan, à mon avis. Elle a voulu montrer la route pour venir chez vous. Par le temps qu'il fait, ce n'est pas commode et cela peut être dangereux, quand on ne connaît pas la côte. Elle va rentrer chez elle tout à l'heure.

Marie-Jeanne est en train de casser des œufs dans une terrine qu'elle a sortie de l'armoire à lait. Elle s'arrête.

— De Logan? Peut-être bien. Il est vrai qu'à Logan je ne connais pas beaucoup de monde. Je ne suis pas comme vous, Nonna, toujours à patrouiller entre les quais et les places depuis que vous êtes descendu à terre.

— Je dis qu'elle n'a pas accompagné Hélèna depuis son village avec, sur les épaules, un manteau de marin beaucoup trop grand pour elle. C'est un

genre de manteau que l'on trouve ici dans beaucoup
de maisons. Les femmes s'en couvrent quelquefois
quand elles doivent sortir dans le bourg ou la proche
campagne par mauvais temps. Vous les avez vues
vous-même.

— Je les ai vues, oui. Mais je vous dis, encore une
fois, que je n'ai fait attention à rien autour d'Hélèna.
En tout cas, cette personne ne s'en ira pas d'ici avant
d'avoir mangé de mon omelette et bu de mon café.
Avec un grog bien chaud pour finir. Allez me
chercher la bouteille de goutte, Nonna. Elle est dans
le bas du vaisselier.

Elle commence à battre ses œufs avec énergie
quand Hélèna revient dans la pièce, suivie de la jeune
fille qui s'adosse, dans l'ombre, contre le mur du
fond. La fourchette de Marie-Jeanne reste en l'air.

— C'est déjà fait? L'ouvrage ne traîne pas, avec
vous.

— Nous étions deux. C'est plus facile.

— J'ai oublié de vous dire tout à l'heure. Pour
celle qui est avec vous, je vais lui donner mon lit. J'ai
un autre coin où aller, dans ma maison.

— Ce n'est pas la peine. Elle n'habite pas loin.

— Elle n'habite pas loin? Alors je la connais,
peut-être?

— Ma foi oui. Son nom est Lina Kersaudy.

— Lina... Kersaudy.

Marie-Jeanne Quillivic se tasse brusquement
comme si elle avait reçu un coup. Elle repose
doucement la fourchette dans la terrine. Du ventre et
des deux mains, elle s'appuie contre la table. Elle
n'ose pas se retourner. A un rythme accéléré, des
images de lanterne magique défilent dans sa tête
jusqu'à l'étourdir.

Elle revit cette visite à Lich Mallégol, il y a trois semaines, qui lui a causé la plus grande humiliation de sa vie, la seule qui ait vraiment compté. Et d'autant plus grande qu'elle était allée au-devant d'elle à son corps défendant et qu'elle se doublait de l'humiliation de son fils, maintenant unique. Il n'y pouvait plus tenir, le pauvre Alain Douguet, quel que fût son mal et allez donc chercher! Son caractère s'aigrissait, il n'était plus maître de ses gestes ni de ses paroles, qui donc mieux que sa mère pouvait s'en apercevoir! Sur l'*Herbe d'Or,* occupé avec les autres membres de l'équipage à des tâches qui faisaient diversion à ses sombres pensées, il devait se comporter comme à son habitude, sinon Pierre Goazcoz, qui décelait aussi finement les variations d'humeur de ses hommes que les changements du temps, aurait averti Marie-Jeanne Quillivic que son fils partait en dérive. Mais, quand il rentrait à la maison — et il y rentrait tout droit pour n'en plus sortir qu'au moment de remonter sur l'*Herbe d'Or* — il ne cessait pas de tourner en rond dans sa chambre, il boudait son assiette à table, lui qui avait toujours eu un rude appétit, il demeurait des heures dans un petit atelier qu'il avait au fond du jardin, inoccupé, les poings enfoncés dans les poches à en faire éclater la toile, il ne sonnait mot que pour s'emporter à grand renfort de jurons contre les objets inanimés ou pour rabrouer sèchement sa mère et Corentin Roparz qui n'en pouvaient mais, n'ayant rien dit ni rien fait qui pût motiver de sa part une quelconque irritation.

Corentin n'était pas homme à s'émouvoir pour autant, encore moins à répliquer, à river son clou au coléreux. Outre qu'il se réfugiait le plus possible dans un dialogue intérieur avec Hélèna Morvan, il estimait qu'il revient à chacun de s'expliquer avec lui-même, sans intrusion de quiconque dans sa vie privée, de régler des comptes qu'il est seul à pouvoir régler. Lui, Corentin, s'était trouvé désemparé pendant des mois, après sa première rencontre avec sa future femme, habité par elle et malade de l'avoir offensée sans le vouloir, sans trop savoir comment. Une bien mauvaise épreuve à traverser interminablement. C'était au tour d'Alain Douguet. Il était amoureux de Lina Kersaudy, furieux de l'être, incapable de dominer cette passion qui le tenait tout entier. Etait-elle amoureuse de lui ? Il y avait sûrement un malentendu entre eux. Lequel ? C'était leur affaire. Quant à lui, Corentin, il était persuadé que si son compagnon le rudoyait sans ménagement, c'était par peur de se laisser aller aux confidences, d'en être réduit à quémander du secours. L'orgueil se paie toujours au prix fort.

Telles étaient à peu près les pensées qui agitaient aussi Marie-Jeanne Quillivic. Mais la mère avait plus de mal à s'empêcher d'intervenir. Et un soir son fils, qui était resté un bon moment planté devant la fenêtre à regarder la nuit tomber, se décida brusquement.

— Mère, mettez vos habits du dimanche. Nous allons chez Lich Mallégol. Vous savez pourquoi ?

Elle savait pourquoi. Ainsi tout ce qu'elle avait pu dire ou faire depuis des années, sans avoir l'air d'y toucher jamais, pour détourner son fils de Lina Kersaudy n'avait servi à rien. Une fille beaucoup trop riche pour un marin-pêcheur, encore que celui-ci ne fût pas n'importe qui, sa mère était la dernière à le mésestimer. Quand il voudrait quitter cette satanée barcasse d'*Herbe d'Or* et son maître fou de la tête, il serait patron d'un bateau neuf avec un moteur. Elle avait de quoi le payer. Une fille entrée en bourgeoisie depuis deux générations et qui tiendrait après sa mère un hôtel de bourgeoisie qui s'embourgeoiserait plus encore au cours des temps qui s'annonçaient. Une fille qui n'était pas sans mérite, certes, il n'y avait rien de mal à en dire, mais dont on pouvait se demander si elle serait assez forte pour supporter la condition qui lui était promise avec Alain Douguet. Et Marie-Jeanne ne croyait pas que son fils serait capable de mettre sac à terre pour devenir hôtelier. Des filles, il y en avait d'autres à Logan, et qui auraient mieux convenu à son fils. Elle-même s'était risquée à lui faire de timides ouvertures pour deux ou trois d'entre elles. Mais un fils Douguet ne se laisse pas marier, même par sa mère. Et le temps n'était plus où l'on n'allait pas chercher femme plus loin que de « l'autre côté de la cour ». A moins de s'appeler Goazcoz, bien sûr. Et les Goazcoz étaient seuls de leur engeance, Dieu merci !

Il fallait y aller. Elle sentait que l'affaire était trop délicate pour qu'on s'en remît à un entremetteur qui tâterait d'abord le terrain comme cela se faisait encore, même quand les deux familles se connaissaient bien. Elle avait donc sorti de l'armoire ce qu'elle avait de mieux à se mettre. Velours noir et dentelles blanches, souliers de cuir dessus et dessous, la montre de gilet au bout de sa longue chaîne d'argent. Ils étaient partis tous les deux par la côte vers le centre du bourg. Dans la nuit, comme il se doit pour de pareilles cérémonies. Alain marchait à dix pas devant sa mère, non point parce qu'il était pressé, mais pour être poussé en avant par sa présence derrière lui. A un moment, pourtant, il s'était arrêté. Elle s'était arrêtée aussi en gardant ses distances. Sans un mot, soucieuse de ne pas troubler sa méditation. Allait-il renoncer ? Pendant un temps qui lui parut très long, ils étaient restés immobiles tous les deux. Puis ils étaient repartis du même pas. Ils avaient abordé l'hôtel par-derrière. La cuisine

de Lich Mallégol était éclairée. A la lumière électri-
que, s'il vous plaît. Alain s'était rangé contre le mur.
Il avait fait signe à sa mère de s'avancer pour toquer
à la porte. Lich était seule, attablée à faire ses
comptes. Elle vint ouvrir à grand bruit de serrure et
de verrou. Quand elle vit Marie-Jeanne Quillivic en
grande tenue, elle comprit tout de suite ce qu'elle
venait faire. Derrière la mère apparut le fils qui
n'avait pas fait toilette et montrait un visage fermé.

Lich s'exclama de feinte surprise, les deux autres
s'épargnèrent toute politesse, tant ils étaient au
supplice, chacun d'eux pour ses propres raisons.
L'hôtelière les fit entrer, assura qu'on serait mieux
dans la cuisine que dans la salle, mais que s'ils
voulaient, c'était facile. Non ? Ils ne voulaient pas ?
Alors asseyez-vous, mettez-vous à l'aise, ne faites pas
de manières chez moi. Elle sortit du buffet une
bouteille de boisson douce avec de petits verres à
pied. Quatre verres pour eux trois, n'est-ce pas ! Les
deux femmes s'entretinrent de divers sujets sans
aucun rapport avec le but de la visite. Marie-Jeanne
y allait à l'économie de paroles, disait tout juste ce
qu'il fallait. Lich, volubile, meublait les silences,
faisait les demandes et les réponses. Alain Douguet,
assis au bord de sa chaise, les mains croisées, ne
bougeait ni pied ni patte, encore moins sa langue.
Oh, l'accueil était irréprochable. Et même, à voir et
entendre Lich, on avait l'impression qu'Alain ne lui
aurait pas déplu pour gendre. Au reste, il était temps
de marier sa fille qui avait déjà refusé plusieurs
prétendants. Mais cette fille, où donc était-elle ?

Elle restait dans sa chambre, au-dessus de la
cuisine. Depuis que sa mère avait ouvert sa porte, elle
savait bien qui était là. Peut-être attendait-elle, selon
l'ancien usage, que l'on vînt la chercher. Au bout de
presque une heure, Marie-Jeanne jugea que les

préliminaires avaient assez duré. Eh bien, voilà ! Elle
venait demander à Lich d'accorder sa fille à son fils
Alain Douguet. Et Lich de s'exclamer à nouveau.
Elle affirma fortement qu'une telle alliance ne pouvait que l'honorer. Elle fit l'éloge de la famille
Douguet comme il convenait. Puis, pour ne pas
demeurer en reste, elle chanta sa propre gloire. S'il ne
tenait qu'à moi, dit-elle, ce serait fait. Mais c'est à ma
fille qu'il appartient de dire oui ou non.

Elle alla ouvrir la porte de la cuisine qui donnait
sur l'escalier. Elle monta quelques marches pour
appeler : Lina, descendez ! Il y a du monde ici pour
vous. Revint s'asseoir à sa place. Il fallut attendre.
Enfin, la jeune fille apparut au tournant de l'escalier.
Elle semblait au comble de l'émotion. A peine si l'on
eut le temps d'apercevoir son visage, et encore de
profil. On entendit un seul mot : NON ! Et elle
remonta vers l'étage en courant. Aussitôt, Alain
Douguet se rua dehors avec toutes les marques de la
fureur.

Lich Mallégol se répandit en excuses : ma fille est
fatiguée. Les nerfs. Cette maison est lourde à tenir. Il
faut que Lina se repose quelque temps. Elle pria
Marie-Jeanne de revenir deux ou trois semaines plus
tard, on y verrait plus clair. Mais elle savait très bien
que la veuve Douguet ne reviendrait pas. Il fut
entendu que personne ne saurait rien de ce qui s'était
passé ce soir-là. S'il n'y avait pas de quoi mettre la
révolution dans Logan, c'était assez pour valoir aux
deux familles des désagréments qui seraient difficiles
à supporter. C'était pourtant vrai qu'on les avait
mariés depuis toujours, Alain et Lina. Par plaisanterie d'abord quand ils étaient enfants et inséparables,
plus tard parce que ni l'un ni l'autre n'avait marqué
d'inclination particulière pour personne. En vérité,
Lina Kersaudy, en faisant affront aux Douguet,

s'était fait injure à elle-même. Et si la nouvelle venait à transpirer du non qu'elle avait lancé au fils Douguet, toute la flottille de pêche s'en trouverait mortifiée.

Et la voilà venue dans ma maison. Que veut-elle ?

Hélèna laisse passer un instant vide, puis elle se met à parler de sa voix grave, sans hésitation ni gêne d'aucune sorte. A l'entendre, il ne viendrait à l'idée de personne qu'elle pourrait colorer le plus petit mensonge.

— Enlevez donc votre manteau, Lina. Il ne faut pas avoir honte. Votre punition dure depuis assez longtemps. Vous ne me croirez peut-être pas, Marie-Jeanne, mais cette jeune fille n'osait pas venir chez vous. C'est pourtant la fiancée de votre fils, la seule qu'il aura jamais et qu'il désire avoir. Et savez-vous pourquoi elle n'osait pas ? Il y a quelque temps, vous êtes allée la demander en mariage, pour Alain Douguet. Elle, qui brûlait d'envie de dire oui, elle a dit non. Comme si elle n'avait pas bien entendu la question. Il y a des choses surprenantes qui se passent en chacun de nous. Elle était si émue, la pauvre colombe, qu'elle n'entendait plus le son de sa voix. Elle n'a pas encore compris ce qui était arrivé. Et depuis, elle sèche dans les remords et les angoisses. Le saviez-vous ?

— Comment aurais-je pu savoir, dit Marie-Jeanne, et la stupéfaction balaie chez elle tout autre sentiment. A mon tour de ne pas très bien comprendre ce que vous dites. Voulez-vous répéter ?

— C'est inutile. Mettons que je viens ce soir avec Lina Kersaudy, vous demander pour elle votre fils Alain Douguet en mariage. Est-ce vrai, Lina ?

— Oh oui !

Elle sort de l'ombre, écarte le capuchon et le fait retomber sur ses épaules. Sa coiffe est un peu dérangée et elle a les yeux rouges. Mais elle regarde courageusement Marie-Jeanne Quillivic. C'est maintenant celle-ci qui tient les yeux baissés.

— J'aurais dû...

— Vous n'avez rien à vous reprocher. C'est de leur faute à tous les deux. Alors, elle se mangeait le sang à l'attendre, dans sa maison de la place où elle m'a fait accueil comme à une cousine de près. Il a fallu que je la gronde pour qu'elle vienne avec moi. Elle soutenait qu'elle vous avait fait un affront. Loin d'être un affront, n'est-ce pas la preuve que votre fils lui a touché le fond du cœur pour qu'elle ait perdu la raison à ce point! Moi aussi, j'ai failli dire non à Corentin Roparz. S'il n'avait pas eu la tête aussi dure...

— Alain Douguet sera bien heureux.

— Mais vous devez me trouver bien dévergondée, Marie-Jeanne. Je viens chez vous, je fais presque la maîtresse, je ne cesse pas de parler. Si encore j'avais dit le quart de ce qu'il y avait à dire.

Le vieux Nonna ne peut retenir plus longtemps son allégresse.

— Vous l'avez dit, Hélèna Morvan. D'un bout à l'autre et tout juste.

— Va-t-il se taire, celui-là, éclate Marie-Jeanne, le rire aux yeux. Vous feriez mieux de vous occuper de votre feu qui me semble aller de travers, au lieu de vous mêler des affaires des femmes. Lina, ma fille, faites donc cuire cette omelette. Il faut vous habituer tout de suite à cette maison. Moi, je suis tellement contente que je ne tiens plus sur mes genoux.

— Venez vous asseoir près de moi, Marie-Jeanne, sur le banc du lit.

— Non, en face de vous. J'ai besoin de voir votre

visage en pleine lumière pour me tenir en joie.
Maintenant, il nous reste encore à attendre les
hommes. Toujours en retard, ceux-là. On se
demande bien ce qu'ils font. Lina Kersaudy, ouvrez
tous les meubles qui ont des portes, mettez-nous sur
la table tout ce qu'il y a de bon à manger. J'ai fait
mes provisions. Nous allons nous régaler tous les
quatre. S'il ne reste rien que la part du chat quand ils
rentreront, tant pis pour eux.

VII

Le maître de l'*Herbe d'Or* s'est-il évanoui ? Commence-t-il à remonter du fond d'une torpeur qui n'a pas eu tout à fait raison de son être ? Très vaguement d'abord, le voilà conscient du silence et de l'immobilité. Si total ce silence, si complète cette immobilité qu'avec un peu d'attention il se sentirait pousser les poils et les ongles. A cette idée, et sans qu'aucun de ses traits ne bouge, il est tout sourire.

Pour se remettre à vivre, il faudrait se débattre, faire appel à des ressources qui ne sont pas toutes épuisées, il le sent, malgré ce cœur au péril d'un dernier déchirement. Il ne veut pas. Pour disparaître tout à fait, se livrer au néant — si néant il y a — c'est plus facile. Il suffit de se laisser aller. Il ne veut pas non plus. Entrer vivant dans le royaume des morts. Il y en a qui ont réussi. La légende se repaît de leurs aventures. Elle est l'au-delà de la vie, ce maigre picotin de l'Histoire. Mais la mort charnelle non plus n'est pas de son domaine. Elle s'insinue entre les deux. Même aujourd'hui, il est sûr de n'être pas le seul à courir sa chance, à rechercher cette troisième voie, ce passage du Nord-Ouest. Peut-être n'en a-t-il jamais été aussi près. Hardi ! Ne pas se laisser faire par l'autre versant et pourtant s'échapper de celui-ci.

Ni le mort ni le vif, mais le fabuleux. Une fois, il se souvient, l'île des Bienheureux, celle du moins que l'on appelle ainsi bien qu'elle soit plus vaste que nos continents, s'est montrée à lui dans une boutonnière de clarté alors qu'il naviguait dans les brumes aveugles. A peine avait-il mis le cap sur elle que cet œil dont elle était la pupille s'était refermé pour faire place à un nuage dense, en fuite à l'horizon, tandis que l'océan s'éclairait autour de lui, le laissant à la vue des amers désespérément familiers. Une autre fois, il a été poursuivi, sous un ciel de poix, par un rayon de soleil opiniâtre qui le cherchait partout pour le ramener en terre. Pierre Goazcoz a si bien manœuvré avec son bateau que le rayon ne l'a pas trouvé. Mais à quoi bon ! Il lui a toujours manqué l'un de ces talismans que d'autres ont reçus par des intercessions de mérite ou plus souvent de hasard. L'Herbe d'Or, la vraie, ou quel que soit le nom qu'on lui donne. Est-elle unique ou foisonne-t-elle dans quelque mer des Sargasses interdite aux navigateurs de peu de foi ? Et comment savoir de quelle foi il faut être armé pour en avoir l'aubaine, pour en ramener une, seulement une, la seule qui vaille pour vous seul, dans vos propres filets au lieu de l'un de ces poissons insolites à l'œil rieur que l'on s'attend à voir se lever en pied, sous une dépouille humaine, pour se moquer de vous avant de dire adieu ? A moins que l'Herbe d'Or ne se dissimule sous les espèces d'une baguette de coudrier, d'une pierre enchâssée dans un châton tournant, d'une plume d'oiseau bocager ou d'un sifflet de sureau. Et que sert, dans ce cas, de courir les mers !

C'est fini de sourire. A l'intérieur de Pierre Goazcoz, il y a quelque chose qui menace de se rompre, qui ne tient plus qu'à un toron de filin. Faut-il espérer qu'il casse, le libérant du coup de ses espérances qui ne furent peut-être que des leurres ? Ou est-ce le dernier toron qui va le haler définitivement vers le terme de sa quête si quête il y a ? Les chevaliers du Graal connaissaient au moins des enchantements qui étaient autant de promesses, mais lui ? Combien de fois a-t-il été déçu, rentrant au port de Logan après avoir lutté contre les tempêtes ou s'être égaré dans les brumes, de ne retrouver que les mêmes rangées de maisons, d'où sortaient les mêmes visages proclamant qu'il n'y avait rien de neuf sinon des morts de petits chats. Est-il donc impossible, après une marée, de ramener son navire à quai pour s'apercevoir qu'un siècle ou deux ont passé dans l'intervalle, qu'on a franchi en quelques heures le temps imparti à plusieurs générations d'hommes ? Voilà qui serait de quoi faire pièce à l'éternité. Ou bien qu'à peine votre terre disparue derrière vous, avalée au gouffre, vous arriviez en vue d'un autre continent où rien ne vous rappellerait celui que vous venez de quitter depuis un siècle ou une demi-journée ? Et voilà l'espace vaincu, l'espace et le temps se détruisant mutuellement à votre seul profit. Nul besoin de mourir, demeurer sans commencement ni fin au même niveau où vous seriez capable de réaliser vous-même toutes les hallucinations issues des désirs du cœur. Vous n'êtes fou de la tête que pour ceux qui mesurent les heures et les lieux, mais combien de vos pareils n'ont-ils pas rêvé de cette aventure ! Et savez-vous si quelques-uns ne l'ont pas menée jusqu'au but, s'évadant du même coup de toutes vos contingences ? C'est le secret de l'Herbe d'Or. Et pour qui la trouve, est-il impossible de « revenir » porter témoignage ? Pourquoi donc veut-on que seuls les dieux soient immortels ? Et si ce qu'on appelle mort n'était que l'absence de quelqu'un qui est présent ailleurs ? Ailleurs ou au même endroit hors de la vue des autres dès l'instant que tous les lieux se confondent et toutes les durées se rencontrent?

Cette musique! D'où vient-elle? L'harmonie des sphères célestes? Elle ne tourne pas, elle n'est pas révolution. Elle le tire à elle, tout droit, le ramène d'un abîme où il s'était immergé à force de silence et de questions. Il fait effort pour la suivre, pour monter avec elle vers un plain-pied où il trouvera de l'assurance. Et cependant il sent naître en lui, très faible encore, la nostalgie du naufrage. Toujours tiraillé à hue et à dia, Pierre Goazcoz. Saura-t-il jamais ce qu'il veut? Ainsi le malade qu'abandonne la maladie, lentement, en douceur, est-il partagé entre le désir de la santé et l'inavouable répugnance à retrouver ses fardeaux.

Avant d'ouvrir les yeux, voilà qu'il sent l'*Herbe d'Or* sous les reins, la barre contre ses côtes. Encore un peu de temps et il reconnaît le son de l'harmonica du mousse. Herri ne s'en sépare jamais. Il y tient plus qu'à son couteau. Si son destin voulait que l'on retrouve son corps noyé sur la côte, il l'aurait entre les dents.

— Assez! Va-t-il cesser de faire du bruit, ce chiard, avec son instrument à moudre des airs pour mener au champ les vaches!

La voix rageuse d'Alain Douguet. Les choses commencent à tourner mal dans l'équipage. Ce silence massif, ce poids d'immobilité, il suffit du son d'un harmonica pour les aggraver encore jusqu'aux limites du supportable, désengourdir les hommes en bonne voie de s'absenter d'eux-mêmes à force de patience muette et d'acagnardement. Et la première victime est le seul violent des trois, les deux autres ont déjà compris que le mousse Herri s'efforce comme il peut de les aider à tenir bon avec son instrument de quatre sous. Il est étonnant ce petit bonhomme. Mais comment pourrait-il savoir que les trois autres n'ont besoin de rien ni de personne. L'harmonica est de trop. Un supplice pour Alain Douguet. Si la musique ne cesse pas, l'homme de l'avant va devenir enragé. Le maître de l'*Herbe d'Or* devrait intervenir tout de suite. Mais il ne commande plus à son corps. Il veut parler, mais de sa bouche ne sort qu'un bredouillis à peine audible. Aussitôt, il voit surgir tout près de lui le visage inquiet de Yann Quéré.

— Tu n'es pas bien, Pierre Goazcoz !

Avec mille peines, Pierre parvient à hocher la tête pour signifier qu'il va bien. Puis il tourne son regard vers Herri, le ramène sur Yann Quéré. Plusieurs fois. Et Yann s'approche du mousse, lui pose une main sur les cheveux et de l'autre, doucement, lui prend l'harmonica et le lui enfonce dans la poche de sa vareuse. L'enfant n'a pas besoin d'explication. Quand le visage de son matelot revient devant le sien pour quêter son approbation, Pierre Goazcoz parvient à ébaucher un sourire. Du moins le croit-il. Le paysan lui cligne de l'œil et fait voir ses dents.

A l'avant de la barque, Alain Douguet a bien suivi le manège. Il est humilié, le fils de Marie-Jeanne Quillivic. Ainsi, on le traite en malade, on prend des précautions avec lui comme si on doutait qu'il puisse demeurer maître de sa tête. Tout cela parce qu'il a demandé à ce sacré mousse d'arrêter sa musiquette à pleurnicherie. Ils s'y sont mis à deux, Pierre Goazcoz et Yann Quéré, pour qu'il ait satisfaction. Sans souffler mot, façon de lui donner tort au bout du compte. N'était-il pas capable, lui tout seul, de sauter sur le mousse et de lui arracher son jouet ! Que damnée soit la peau de son âme, ils allaient voir ! Et l'autre, là, Corentin Roparz, il n'a rien dit ni rien fait, il ne bouge pas d'une ligne, mais il tient les yeux braqués sur lui. Pour le protéger, l'empêcher de faire des bêtises peut-être. Quelles bêtises ? Est-il sa nourrice ? Et ces quatre-là, le mousse aussi, ce petit sournois, croient-ils l'obliger à se taire ? Ils vont l'entendre.

L'homme d'avant se dresse de toute sa hauteur. Il n'y peut plus tenir. Il se débonde.

— Alors, vous faites les farauds, hein ! Mais vous ne valez pas mieux que moi. Vous savez bien que c'est foutu pour nous tous. Nous sommes enfermés dans la nuit blanche, chacun emprisonné dans son corps étroit, obligé de regarder cette lanterne magique, dans sa tête, qui lui montre les tableaux de sa vie pendant qu'une voix répète : tu es volé, tu n'as pas eu ton dû parce que tu n'as pas su le prendre ni même le trouver, imbécile ! On proteste que ce n'est pas vrai, qu'on saura comment faire, désormais, ce soir même ou demain matin. Et la voix ricane que c'est trop tard, trop tard, trop tard.

Si Pierre Goazcoz n'avait pas cette poitrine tendue à se briser, cette carcasse entière qui l'abandonne, il sait bien ce qu'il faudrait faire tout de suite : sauter sur Alain Douguet, le prendre aux épaules et lui ordonner de fermer sa gueule. Il est en train de se saouler de son propre bruit. Le plus pénible, sur un voilier, c'est l'encalminement qui dure. Le repos entier des éléments est plus redoutable que leurs pires déchaînements. Ils paraissent tellement sûrs de vous tenir à merci qu'ils ne se donnent même plus la peine de vous assaillir. Il y a de fiers marins qui n'ont pas pu supporter cette paralysie. Ils ont d'abord pleuré de rage, ils se sont répandus en paroles démentes et ils ont fini par se battre entre eux pour échapper à cette terrible inaction. Et ce mal, il le sait, s'empare des plus forts de préférence. Il voudrait alerter Yann et Corentin. A eux deux ils viendraient bien à bout du colosse Alain Douguet. Il maudit son impuissance du moment, et d'autant plus que la possession de son corps commence à lui revenir. Trop tard si les deux autres laissent faire. Il les regarde aussi intensément qu'il peut. Ce qu'il voit le rassure. Les deux hommes ne perdent pas leur camarade de vue. Ils sont ramassés, chacun à sa place, prêts à bondir. Le mousse, la bouche ouverte, s'est mis à genoux. Quand Alain s'arrête pour reprendre son souffle, Corentin Roparz entreprend de le raisonner, non pas qu'il espère que l'autre se rendra à ses pauvres raisons mais pour lui faire entendre une autre voix que la sienne.

— Ne laisse pas filer l'amarre, Alain Douguet. Et ne t'échauffe pas la tête. Tu es dans un équipage et sur un bateau, tu n'as pas le droit de vivre tout seul. Patience! Qu'il se lève le moindre vent et dans une heure ou deux nous toucherons terre.

— Il n'y a plus de terre nulle part. Plus de vent. Le vent est mort.

— Mais non, il change de lit. Laisse-lui le temps de tourner.

— Je vous dis que c'est la fin. Nous avons brisé nos corps à défendre cette barcasse contre des vents et des vagues comme il n'y en a jamais eu depuis que le monde est monde. Et c'est l'*Herbe d'Or,* maintenant, qui ne veut pas aller plus loin. Un sabot fendu. Il est en train de s'ouvrir par le fond, sous nos pieds, sans se presser, pour faire durer le supplice. Saloperie!

— Il suinte un peu, c'est tout. Il n'a pas pris plus qu'il n'en faut pour recouvrir le plat de ma main. Pas même de quoi écoper.

— La neige lui pèse dessus pour le faire descendre plus vite. Nous allons être sucés par cet océan des pieds à la tête, sans pouvoir nous défendre. Encore un peu de temps et nous naviguerons à la cape entre deux eaux, équipage de morts sur une barque dont il ne restera même plus le fantôme. Nous mettrons peut-être des jours à toucher le fond. Le ciel lui-même nous enfonce de tout son poids. Regardez-le ! Il se prend la tête à deux mains et s'écroule sur les planches en gémissant. Yann Quéré se détend un peu, demeure quand même sur ses gardes. Corentin s'approche de Pierre Goazcoz, s'assoit tout contre lui, passe un bras autour de ses épaules, ce qu'il n'a jamais osé faire avec personne. Le maître de l'*Herbe d'Or* bat des paupières et sourit.

— Je vous... ramènerai... au sec.

La bouche de Corentin est contre son oreille.

— Je sais. Je sais aussi ce qu'il a, Alain Douguet. Il pense à Lina Kersaudy. Et moi, pauvre innocent, je lui ai donné à lire une lettre qui lui a fait du mal. Un homme comme lui, ce n'est pas la misère du métier... Il est plein de soucis qui le rongent. Et contre ceux-là...

— Attention à lui.

Le mousse élève sa voix claire. Il s'adresse à Yann Quéré qui s'est assis sur le plat-bord.

— Dis, Yann. Qu'est-ce qu'il a, Alain Douguet ?

— Ne l'écoute pas, fils ! Il a la fièvre. Le bateau tient bon. Il prend un peu d'eau, mais du train où il va, il faudrait des heures et des heures pour le couler. Nous pourrons très bien le vider entre les paumes de nos deux mains quand il faudra. Il n'y a rien de perdu.

L'homme d'avant se relève sur les genoux pour hurler.

— Il va s'ouvrir, je vous dis. Tu as beau faire le malin, Yann Quéré, toi aussi, tu seras mangé par les crabes et les poissons des profondeurs. Ta chair s'en ira en bribes molles comme un morceau de bœuf

dans une soupe trop cuite. Hé quoi, tu t'es nourri de
ces animaux-là, il est juste qu'à leur tour ils se
régalent de toi, non !

— Ferme ton four à sottises. Tu parles exprès
pour épouvanter le mousse.

— Il n'y a pas d'enfant sur les bateaux. Nous
avons tous le même âge quand il s'agit de faire un
noyé.

— Tu peux parler autant que tu veux et comme il
te plaît, Alain, si cela te fait du bien, dit l'enfant
Herri sans se troubler le moins du monde. Je n'ai pas
peur de faire un noyé. Si j'avais eu peur, je pouvais
choisir de porter du mortier aux maçons. Une fois,
j'ai vu un garçon de douze ans qui était mort du mal
de poitrine. On l'avait exposé sur son lit dans ses
habits du dimanche, la chapelle blanche autour de
lui. Et puis, le bedeau et le menuisier l'ont étendu
dans son arche et ils ont cloué le couvercle sur lui. Je
ne veux pas être cloué dans une caisse. Je ne veux pas
descendre dans un trou à limaces. Je veux l'océan
tout entier pour me promener tant qu'il restera
quelque chose de moi.

— Eh bien, dit Corentin stupéfait, en voilà un qui
sait ce qu'il veut. Quel âge as-tu déjà, Herri ?

— Bientôt quatorze ans. Ton Nonna m'a raconté
comment les marins morts descendaient dans les
courants jusqu'au fond de l'océan. Et là, il y a un port
immense où ils retrouvent le bateau de leur naufrage.
Chacun répare le sien pour être prêt à partir au
signal d'un ange ou d'une étoile, on ne sait pas bien.
Au bout de leur navigation, il y a une île signalée par
un grand feu de goémon qui brûle nuit et jour entre le
ciel et l'eau. Elle n'est visible que pour eux. C'est là
qu'ils jetteront leur ancre qu'ils n'auront plus jamais
à relever. Je suis prêt à descendre au fond.

— Tu entends ce qu'il dit, Alain ?

— J'ai entendu. A cet âge, on croit tout savoir et on ne sait pas grand-chose. On ne sait même pas très bien qu'on meurt pour de bon. On entre tout droit dans la mort sans tourner la tête. Pourquoi tournerait-on la tête ? Il n'y a rien qui vous tire derrière. Soudain, le voilà debout. Il se met à tourner sur lui-même, les bras en croix, avec tous les signes de l'égarement.

— Et puis c'est assez parlé. Restez à moisir sur vos planches, moi je m'en vais. C'est la nuit de Noël, je vais aller à la messe de minuit. Peut-être me portera-t-elle chance aussi, Corentin. Je mettrai un gros cierge à l'autel pour vous.

Il respire profondément, sort de ses sabots, cherche à se débarrasser de sa vareuse qui lui colle au corps, mais déjà Yann et Corentin sont sur lui. Le premier le ceinture sans ménagement, l'autre lui prend les bras. Il se démène à grande fureur, se secoue comme un fauve attaqué par des chiens, les injurie jusqu'à s'étrangler. Un coup de genou que Yann Quéré lui décoche au ventre le fait enfin s'écrouler sur la face, Corentin ayant réussi à lui immobiliser les bras par-derrière. Mais il clame encore :

— Je suis le seul à savoir nager. Je sais par où est la terre. Je la sens. Je la trouverai. Je vous enverrai du secours. Laissez-moi !

Et les deux autres, sans lâcher prise, lui répètent patiemment que la terre est trop loin, qu'il va se perdre, crever de froid dans l'eau salée, qu'ils n'ont pas besoin de secours puisqu'ils sont sûrs de se sauver tout seuls, qu'ils ont besoin de lui pour aller à la côte parce qu'il a les meilleurs yeux et que le vent, le vent, le vent va se lever. A bout de forces, enfin, il finit par avouer la raison de sa démence.

— Il faut que je parle à Lina Kersaudy.

Après quoi, il se tait, soufflant comme une bête.

Yann et Corentin se regardent, hésitant encore à le libérer bien qu'ils sentent que le calme renaît en lui. La crise est passée.

— Il y a une étoile là-haut, dit le mousse. Tu vois l'étoile, Alain Douguet?

Et Yann Quéré:

— Une étoile en galerne. Le vent nous arrive dessus.

Il se relève et Corentin aussi. Alain Douguet se met sur le dos. Son grand corps est maintenant tout relâché.

— Je vois l'étoile. Qu'est-ce qui m'est arrivé?

— Un accès de fièvre. Tu en as trop fait. En rentrant à la maison, tu iras te fourrer au lit tout droit. Tu entasseras sur toi toutes les couettes disponibles pour suer le froid et la fatigue. Deux ou trois jours après, les couettes auront doublé de poids et tu seras de nouveau d'attaque.

Et Yann Quéré se met à rire comme il sait le faire quand la vie lui est douce et c'est aussi souvent qu'il peut.

— Dis-moi, Yann, toi qui sais tout. Elle a combien de branches, cette étoile?

— Elle en a cinq, fils. Autant que de doigts dans une main. Et nous sommes tous les cinq dans la main de l'étoile. Elle ne nous lâchera pas.

— Alain Douguet, dit Corentin, peut-être ferais-tu bien de nous dire le souci qui te dérange la tête. On en porterait chacun un morceau. Et quand même nous serions tous plus légers qu'avant. Dans un équipage, quand il y en a un seul qui souffre, les autres ne sont pas à l'aise.

Yann Quéré renchérit:

— Bientôt nous aurons à boire et à manger, nous pourrons nous étendre dans des lits. Mais toi, Alain Douguet, tu ne trouveras de repos ni dans la nourriture ni dans le sommeil. La fièvre du corps te lâchera, pas l'autre. Allons ! Balance ta peine par-dessus bord.

Il se décide enfin, le fils Douguet. Après le spectacle qu'il a donné tout à l'heure et dont il a maintenant conscience, autant vaut qu'il se confesse jusqu'au bout. L'équipage n'en soufflera mot.

— Je vais l'étaler devant vous, ma peine. Aucun de vous ne pourra m'en prendre une once. Il y a des années que je suis porté vers Lina Kersaudy, la fille de Lich Mallégol. Trois semaines ont passé depuis que je lui ai demandé si elle voulait me prendre. Depuis trois semaines, le goût de vivre m'a quitté. Elle a dit non.

Il a fini. Corentin se révolte aussitôt.

— Je ne te crois pas. Tu n'as pas bien compris.

— Elle a dit non. J'étais avec ma mère qui avait mis sa plus belle coiffe et son châle tout neuf. Lina Kersaudy a dit non sans même descendre l'escalier pour se présenter devant nous. Elle s'est rejetée dans sa chambre en pleurant.

— Je ne connais pas de fille qui pleure, dit Yann. Avec moi, elles rient toujours. Je trouve qu'elles rient trop. La première fois que je ferai pleurer une fille, je ne la lâcherai plus jamais. Même si elle dit non. Et d'abord, comment a-t-elle dit non, Lina Kersaudy ? On vous refuse avec le corps tout raide, la lèvre mince et les yeux durs. Ce qu'on entend ne vaut pas grand-chose, ni pour oui ni pour non. C'est ce qu'on voit. L'as-tu vue pleurer ?

— Je ne l'ai pas vue du tout. Quand je l'ai entendue éclater en sanglots, j'étais déjà dehors.

— Elle a pleuré justement parce qu'elle avait dit non. Elle a peut-être dit non pour avoir de la chance. Elle a vu fondre la famille Douguet autour d'elle. Elle a peur pour toi, pour son propre compte aussi. Et cette peur irraisonnée l'a fait entrer en crise comme toi tout à l'heure pour d'autres raisons qui ne valent pas mieux. Ah, vous êtes bien pareils, tous les deux ! Dès que nous serons débarqués, tu iras la voir tout de suite. Je t'y traînerai moi-même s'il le faut. Elle dira oui.

— Elle ne peut pas dire non, déclare le mousse Herri, plein d'importance. Je n'étais pas encore dans la classe du certificat et tous les enfants disaient déjà que Lina Kersaudy était la promise d'Alain Douguet. Vous deux, c'était comme dans les vieux contes où Jean doit faire des merveilles avant d'épouser la fille du roi d'Hibernie. Ils seront même déçus, après le mariage, car le conte sera fini. Moi, je suis maintenant un grand garçon, mais Lina Kersaudy est toujours la fille du roi d'Hibernie et toi, Alain Douguet, tu passes la dernière épreuve sur la mer avant de la mériter tout à fait. La dernière épreuve.

— Il en sait des choses, ce Herri, grogne Corentin, tout heureux. Où a-t-il été prendre tout ça ?

— C'est encore Ton Nonna. Ce n'est pas souvent qu'il veut bien conter les merveilles, mais je l'ai tellement tourmenté, quand j'étais enfant, qu'il lui a bien fallu sortir une partie de ce qu'il tient dans son sac. Mais il n'a jamais voulu me parler de cette Herbe d'Or qui est la marraine de notre bateau. C'est pourquoi je suis là. Pierre Goazcoz finira bien par me dire ce qu'il sait sur elle. Ou peut-être l'un de vous ?

Il n'y a pas de réponse, mais les trois hommes se tournent vers Pierre Goazcoz, tassé à l'arrière, qui a tout entendu. Un peu de chaleur est monté en lui. A force de battre le rappel de ses membres, il se sent de nouveau maître du bras qui tient la barre contre ses côtes. Et sa langue, dans sa bouche, semble décidée à lui obéir comme il faut. Il appelle.

— Yann Quéré !

— Je suis là.

— Raconte-lui l'Herbe d'Or. Il a bien mérité de savoir, le petit.

— Mais c'est à toi...

— Trop tard. Comme nous disons dans notre langage, je suis en train de ramer vers la sortie. Raconte-lui l'Herbe d'Or comme tu me l'as racontée à ta manière quand tu es venu me demander d'embarquer sur mon bateau. Raconte-la-moi ! Il me reste peu de temps pour l'entendre encore une fois. Ensuite, je vous ramènerai à la côte. C'est promis.

— Tu sais, ce sont les paysans de chez moi qui...

— De terre ou de mer, il n'y a qu'une Herbe d'Or pour toutes les têtes, baptisées ou non. Raconte-nous comment le maître... de quel endroit déjà ? Trémoré. Comment le maître de Trémoré a rencontré l'Herbe d'Or.

— C'était au temps de la Toussaint. Pour nous, c'est la Toussaint qui est au cœur de nos songes.

— Et nous sommes au soir de Noël. Mais l'Herbe d'Or n'a pas de temps ni de lieu.

— Puisque tu le veux...

Yann Quéré va s'asseoir à l'étrave. Corentin ne bouge pas, Corentin est toujours bien où il est. Alain Douguet se redresse pour s'accoter contre le flanc de la barque. Il a repris confiance. Le mousse, après une hésitation, va se mettre à califourchon sur le banc avant. Il ne veut pas perdre un mot de ce qui va se dire maintenant et qu'il n'entendra sans doute plus jamais que de sa propre bouche s'il lui revient un jour d'avoir à transmettre le secret. Et s'élève la voix de Yann Quéré, plus impressionnante que celle du recteur de Logan qui sait pourtant donner aux phrases toute la force qu'elles doivent avoir pour remuer les fidèles.

« Je vais vous conter l'Herbe d'Or pour la première fois sous son vrai nom qui est celui-là. C'est un nom qui fait peur à beaucoup de gens, qui leur semble de mauvais augure parce qu'ils tiennent à durer le plus longtemps possible dans leur corps mortel. Il n'a pas fait peur à Pierre Goazcoz qui l'a marqué sur son bateau dans l'espoir de prendre au piège l'Herbe en question. Il n'a fait peur à aucun de nous puisque nous sommes là. Mais sachez que dans mon pays on ne parle jamais que de la plante Alleluia. C'est un nom qui rassure un peu les chrétiens parce qu'il est d'église. Ailleurs, on l'appelle autrement. En vérité, l'Herbe d'Or, chacun la nomme comme il veut, la reconnaît quand il est reconnu par elle. Et c'est alors seulement qu'elle produit son effet. Vous allez croire que je déraisonne et c'est exactement ce qu'il faut faire pour parler de l'Herbe d'Or. Elle est au-delà de toute raison, cette raison qui ne vaut que pour le bas monde. Ecoutez comment mon père racontait l'aventure du maître de Trémoré avant d'être foudroyé sous son arbre. Et pour lui, l'Herbe d'Or, c'était peut-être la foudre.

« Mon père tenait l'histoire d'un vieux domestique du manoir de Trémoré qui s'appelait Fanch Lukas, son propre cousin. Ce Fanch Lukas est mort, Dieu lui pardonne, et du manoir de Trémoré il ne reste à voir que quelques pans de murs, encore ne sait-on pas très bien où ils se trouvent. Si quelqu'un le savait aujourd'hui, peut-être pourrait-il cueillir la plante Alleluia qui permet d'aller dans l'Autre Monde et d'en revenir sans autre dommage que l'envie d'y retourner. Mais celui qui voudrait courir l'aventure, il lui faudrait être au nombre des âmes promises au Purgatoire. Les élus et les réprouvés, on n'en verrait plus la couleur en ce bas monde, ils seraient retenus au Paradis ou en Enfer. Le nombre des premiers n'est pas très grand et telle est leur humilité qu'ils n'osent pas croire que leur salut est assuré sans la moindre pénitence. Les seconds sont légion, mais ils n'ont presque jamais conscience de leurs crimes et les plus mauvais d'entre eux espèrent toujours échapper de justesse aux griffes du seigneur de Kersatan. Cela fait que tout chrétien qui trouverait la plante Alleluia ne courrait pas grand risque en allant jeter un coup d'œil sur l'envers du monde et même en y restant quelques jours, quelques années ou quelques siècles, le temps ne se mesurant plus là-bas.

« Et cependant, voyez donc, seulement quelques-uns ont osé franchir le pas d'eux-mêmes. Encore l'ont-ils fait par hasard, parce qu'il leur est arrivé de rencontrer la plante Alleluia sans la chercher. Mais peut-être est-ce la plante qui les cherchait ? Peut-être la Providence divine juge-t-elle bon de rappeler aux hommes, de loin en loin, qu'une vie éternelle vous attend dans un autre monde, par-delà celui-ci, à moins qu'il ne soit le même, mais purifié de toutes les apparences trompeuses, qui le saura de son vivant ! Ce qui est vrai, c'est que les hommes font leurs sept possibles pour chasser de leur esprit toute pensée qui va au-delà de ce qu'ils appellent la mort. Et c'est pourquoi ils marchent la tête haute dans les chemins, de peur de subir la tentation de la plante Alleluia si par hasard celle-ci s'avisait de pousser devant leurs pas. C'est pourquoi ils ont oublié de toutes leurs forces, et Fanch Lukas le premier, où se trouvait exactement le manoir de Trémoré sur les terres duquel a été vue la plante en question pour la dernière fois. Ne la cherchez donc pas si vous voulez durer dans votre paix et n'allez pas croire que tous les pans de vieux murs sans nom qui furent autrefois de nobles demeurances avant d'abriter des chevaux et des vaches jusqu'au moment où le toit s'est effondré,

n'allez pas croire que c'est de là que partit un matin
Jean-Pierre Daoudal, le maître de Trémoré, pour se
retrouver avant midi au pays des Défunts sans avoir
fait autre chose que de se baisser pour cueillir une
plante inconnue.

« Sans plus attendre, je dois vous dire que ceci est
arrivé le jour des Morts. Ainsi serez-vous à l'aise
pour imaginer qu'il ne se serait rien passé si Jean-
Pierre Daoudal n'avait pas choisi précisément ce
jour-là pour revêtir ses grands habits et se rendre au
bourg à pied au lieu d'atteler son char à bancs. On
sait trop bien qu'autour du temps de la Toussaint il
se produit des phénomènes étranges un peu partout
et que les marcheurs à pied sont exposés aux
intersignes et aux *choses d'épouvante,* surtout la nuit.
Mais d'abord il ne faisait pas nuit, c'était une
matinée claire et sèche comme on n'en voit qu'une
tous les sept ans le jour des Morts. Ensuite il n'est pas
possible, pour quelqu'un de bonne race, de laisser
passer un tel jour sans rendre visite aux défunts de sa
famille. Pour le maître de Trémoré, qui était un
homme sévère, cette visite avait été préparée, la
veille, par les femmes de sa maison. Elles avaient
nettoyé de près et abondamment fleuri leurs tombes
du cimetière paroissial. Avant de se recueillir devant
chacune d'elles, Jean-Pierre Daoudal multiplierait
ses yeux pour vérifier si tout était en ordre et en état
de faire honneur à sa maison. Et les femmes, restées à
Trémoré, trembleraient jusqu'à son retour. Mais si le
maître était parti à pied, c'était encore pour honorer
ses morts. Depuis des générations, les défunts de
Trémoré étaient conduits au champ de l'église non
point en char et par la grand-route, mais à bras
d'hommes et par un vieux chemin de terre qui ne
servait qu'à cela. Il débouchait sur la place du bourg,
juste devant le porche de l'église. Avant de le quitter,

les porteurs cognaient le cercueil, à droite et à gauche, contre deux grosses pierres fichées dans les talus et qui marquaient la fin des terres de Trémoré. Le mort prenait ainsi congé, faisait abandon à son successeur du chantier de sa vie, léguait son héritage, disait adieu à son berceau. Jean-Pierre Daoudal, tous les ans, tenait à parcourir, seul et vivant, en l'honneur des morts, le chemin obligé où passeraient plus tard ses propres reliques. Son père aimait lui conter comment un ancien maître de Trémoré avait demandé que son corps fût porté à l'église dans un carrosse à quatre chevaux qu'il avait, et en passant par la grande allée, puis la route. Or, les quatre chevaux, malgré tous leurs efforts, ne purent jamais soulever un seul sabot de terre. Dès que quatre hommes forts eurent chargé le cercueil sur leurs épaules et entrepris de le porter au bourg par le vieux chemin, tout se passa le mieux du monde.

« Donc, ce matin-là, le maître de Trémoré arpentait le vieux chemin en méditant sur les fins dernières. Mais la méditation n'empêchait pas son œil de maître de noter avec soin tous les travaux qu'il faudrait faire avant que le prochain décès dans la famille (le sien peut-être) n'amène par là, derrière le corps, quelques centaines de parents et d'amis au risque de se tordre les pieds dans les nids-de-poule et de se déchirer aux ronces. Avant l'hiver, sans faute, il viendrait lui-même avec Clet Folgoaz, son domestique. Ils nettoieraient les talus de part et d'autre, ils nivelleraient le double sentier trop peu fréquenté par les sabots pour tenir en respect les plantes sauvages. Pour le bon exemple et sur-le-champ, il voulut déraciner un chêne nain qui avait poussé sans vergogne au milieu du vieux chemin et qui lui arrivait à peine au genou. Il le replanterait quelque

part, ses arrière-petits-enfants en auraient du bois
pour leurs armoires de noces.

« C'est alors qu'il aperçut à son pied une espèce
d'étoile à cinq branches, de couleur rougeâtre, qu'il
prit d'abord pour un champignon. Mais, s'étant
accroupi pour observer de plus près, il reconnut que
l'étoile portait un pistil en son centre et qu'elle était
éclose dans une couronne de feuilles dorées, rondes et
grasses. C'était une plante comme il n'en avait
encore jamais vu de pareille ici ou ailleurs. Il passa
deux doigts sous les feuilles, trouva la tige et n'eut
pas besoin de tirer beaucoup pour faire sortir de terre
des filaments blanchâtres qui servaient de racines.
Jean-Pierre Daoudal se dit qu'une telle plante ferait
sûrement plaisir à un ami apothicaire qu'il avait en
ville. Il prit son mouchoir qui était toujours propre
car il n'avait jamais la moindre humidité dans le nez.
Au moment d'y envelopper sa trouvaille, il s'aperçut
que l'étoile à cinq branches s'était refermée, que la
plante tout entière n'était plus qu'une boule d'or.
Curieuse plante, en vérité. Il mit le tout dans la
poche de son paletot et se pencha de nouveau pour
déraciner le petit chêne. C'est alors qu'il eut sa
première surprise : il n'y avait pas plus de petit chêne
en terre que de poil dans le creux de sa main.

« Le maître de Trémoré, je crois l'avoir fait
comprendre, n'était pas homme à déglutir de
l'étoupe, mais il fut impressionné par le phénomène.
Pour s'assurer qu'il n'avait pas rêvé debout, il tira
son mouchoir de sa poche et le déplia sur sa main. La
plante-étoile y était bien, roulée en boule. Mais où
donc était passé le petit chêne qu'il devait replanter
pour ses arrière-petits-enfants ? Et s'il avait été
trompé par sa vue, comment la plante-étoile avait-
elle pu échapper à l'erreur ? Il se promit de montrer
ses yeux au plus savant des hommes de l'art, même si

cela devait lui coûter le prix d'un veau. Et il en vint à s'inquiéter ferme en pensant qu'il était en train de couver une de ces maladies devant lesquelles le meilleur médecin n'est plus qu'un charlatan dérisoire. Mais cela ne dura pas longtemps parce qu'il avait l'impression que tout était plus léger, plus pur autour de lui, que lui-même était maître de son corps mieux qu'il ne l'avait jamais été, que les petites infirmités de l'âge avaient disparu et qu'il pourrait faire joliment le tour du monde à pied sans se rompre les genoux ni se couper le souffle. Quand il jeta un regard autour de lui, il fut un peu étonné de voir que bien des choses avaient changé depuis qu'il s'était accroupi devant l'étoile à cinq branches. Mais quoi ! Chacun sait que le visage du monde se modifie sous le regard d'un homme tout neuf. Décidément, le maître de Trémoré avait rajeuni en un tournemain. Après tout, il y en a d'autres qui vieillissent d'un seul coup, n'est-ce pas ! Il reprit gaillardement sa route vers le bourg, mais il avait oublié pourquoi il y allait et c'est en vain qu'on lui aurait demandé le nom de la journée qu'il était en train de vivre.

« A la sortie du vieux chemin, là où se trouvent les deux grosses pierres contre lesquelles on cogne les cercueils de Trémoré pour leur faire dire adieu à ce monde, Jean-Pierre Daoudal fut terriblement tenté d'aller toucher l'une et l'autre de ses mains, ce qu'un vivant ne doit pas faire sous peine de mettre en péril son corps mortel. Si le maître de Trémoré l'avait fait, peut-être serait-il redevenu l'homme qu'il était au départ de son manoir, ce matin-là. Car vous avez compris qu'il était déjà dans l'Autre Monde par la vertu de cette étrange plante qui avait fleuri dans le vieux chemin des Morts sous la forme d'une étoile à cinq branches au pied d'un petit chêne. Un petit chêne qui n'avait poussé là que pour attirer l'atten-

tion du passant (n'importe qui ou Jean-Pierre Daoudal à l'exception de tout autre ?) sur la fleur éclose
dans une couronne de feuilles dorées, rondes et
grasses. Et Jean-Pierre l'avait cueillie de ses mains et
enveloppée dans son mouchoir sans se douter que
c'était là son sésame pour l'envers du Monde. De ce
sésame, son ami l'apothicaire ne verra jamais la
couleur.

« Sur la place du bourg il y avait des groupes de
gens qui revenaient du cimetière à l'exception de
quelques-uns qui n'étaient là que pour apprendre les
nouvelles. Le maître de Trémoré les connaissait tous.
Il gagna le centre de la place où quatre de ses amis
discutaient avec animation. Pour les rejoindre, il dut
passer tout près de quelques autres groupes, mais
personne ne le salua, ne lui adressa le moindre mot,
ne fit même semblant de l'apercevoir. Il s'approcha
des quatre compères. De quoi parlez-vous donc ? dit-
il. Ils firent comme s'ils n'avaient rien entendu. L'un
d'eux, alors que Jean-Pierre Daoudal était à deux pas
de lui, s'inquiéta de savoir où était resté le maître de
Trémoré qui avait l'habitude d'être à l'heure. Ce
dernier, comme il n'arrivait pas à se faire entendre de
ses compères, donna trois ou quatre tapes assez fortes
sur l'épaule de l'un d'eux. Mais l'homme à l'épaule
ne réagit aucunement. Les quatre finirent par se
diriger vers la prochaine auberge pour y boire chacun
sa chopine en l'honneur des morts et aux dépens de
l'absent qui marchait pourtant dans leur ombre.

« L'absent resta dehors, assez découragé, se
demandant ce qui lui arrivait. Il vit venir vers lui un
char à bancs peint en vert sombre avec des filets
jaunes et tiré par un cheval au poil luisant, à la queue
tressée. Dans le char à bancs paradait son voisin, le
maître de Keromen, en ses habits de gloire et entouré
de toute sa famille en grand apparat. En l'honneur

des morts, comme de juste. Jean-Pierre Daoudal se dressa devant l'équipage, les bras étendus pour l'arrêter. Auriez-vous une place pour moi, Jakez Keromen, cria-t-il, je rentre à Trémoré. Jakez regardait devant lui, l'œil vide, et le cheval marchait à son pas. Il arriva tranquillement sur Jean-Pierre et le traversa de la tête à la queue comme s'il avait été de l'air transparent. Jakez Keromen, sa famille et le char à bancs le traversèrent aussi facilement qu'ils l'auraient fait de l'ombre d'un arbre ou d'une maison. Le maître de Trémoré, sans rien sentir, vit passer à travers sa tête la musette qui contenait le picotin du cheval et il se retrouva tout seul sur la place pendant que les cloches sonnaient en l'honneur des morts. Il était à peu près midi.

« Le pauvre Jean-Pierre entra dans trois ou quatre maisons de commerce où il avait ses habitudes. A chaque fois qu'il ouvrait une porte, quelqu'un se précipitait pour la fermer en maudissant les serrures et les courants d'air. Il avait beau saluer l'assistance à haute voix, interpeller les gens par leurs noms, leur frapper la poitrine, leur prendre le bras, on ne l'entendait pas, on ne sentait pas sa main, on le voyait encore moins, on le traversait plus facilement qu'une écharpe de brume tandis que lui se heurtait à tout ce qui était solide et devait en faire le tour. Il finit par se réfugier dans la campagne. Là au moins il n'aurait pas à s'échiner en vain pour se faire voir et entendre de ses pareils. Et l'indifférence de la nature à son égard ne serait pas pire qu'envers le premier venu.

« Il marcha longtemps, mais sans ressentir la moindre fatigue, à travers un pays désert et qui lui semblait familier malgré certains bois de pins en trop, certaines maisons en moins. Et puis il se trouva soudain arrêté au flanc d'une montagne inconnue. La route qu'il avait suivie jusque-là n'allait pas plus loin. Mais, à droite, des sentiers étroits, escarpés, difficiles, grimpaient apparemment vers le sommet de la montagne, un sommet invisible d'où parvenaient les accords d'une musique d'église, soutenant un chœur d'innombrables voix célestes. A gauche prenait une large avenue qui descendait en pente douce vers quelque vallée inférieure, invisible aussi, et de là montait une énorme rumeur de jurons et d'éclats de voix, mille et mille fois ce qu'il est donné d'entendre dans l'auberge la plus mal famée.

« Or, devant le maître de Trémoré s'étendait une assez large terrasse dont il ne voyait pas la fin. A sa grande stupéfaction, il y reconnut quelques-uns de ses champs, mais en désordre. Rassuré néanmoins, il s'engagea sur ce territoire bien que la nuit fût déjà tombée et qu'il se sentît incapable de savoir où il allait. Le paysage était éclairé pauvrement par un reflet pâle et froid de la lumière heureuse qui régnait là-haut, à droite, au pays des cantiques, tandis que le gouffre vociférant, à gauche, était enseveli dans les ténèbres. Et dans cette aumône de clarté, on voyait des gens s'affairer maintenant à toutes sortes d'occupations, chacun de son côté et sans se soucier le moindrement les uns des autres, chacun suivant son destin.

« Le premier qui fut rencontré par le maître de Trémoré s'acharnait à défoncer une lande avec sa grande marre. Ce qui incita Jean-Pierre Daoudal à s'approcher de lui, ce fut d'entendre le bruit sourd de son outil sur les souches et le sifflement de sa respiration. Ce n'était donc pas seulement une ombre. Peut-être l'autre pourrait-il le voir et l'entendre. Il s'approcha du défricheur qui lui tournait le dos. L'homme, sans doute, le sentit venir car il laissa retomber sa marre et se retourna en souriant.

" Vous aussi, vous êtes à marcher par là ? "
demanda-t-il, comme fait le premier paysan venu
quand il est fils de bonne mère.

" Oui, je vais ", répondit le maître de Trémoré,
tout heureux d'entendre de nouveau une voix
humaine lui parler en face. Depuis qu'il avait débou-
ché sur la place du bourg, il craignait de n'être plus
lui-même qu'une ombre.

« Le vieillard — car il semblait vraiment très vieux
bien que la marre ne parût pas peser lourd entre ses
mains —, le vieillard s'était remis à son ouvrage
comme quelqu'un qui n'a pas de temps à perdre. Les
mottes et les racines volaient autour de lui. Cependant, Jean-Pierre Daoudal risqua une question.

" Est-ce que votre travail avance assez bien ? " dit-
il.

" Il va comme il va, répondit le défricheur. Il irait
plus vite si quelqu'un pouvait me donner un coup de
main. Mais personne ne peut le faire et cela par ma
propre faute. "

" Et quelle est cette faute, s'il vous plaît ? "

« Alors, sans cesser un instant de manœuvrer sa
marre, avec des phrases courtes entre deux ahane-
ments, le vieux raconta comment il avait désiré toute
sa vie avoir à lui cette immense friche qui s'étendait,
inutile, au-delà de ses terres à blé. Quand il avait fini
par en devenir propriétaire, il était déjà sur l'âge et si
perclus qu'il n'était plus capable d'aucun travail
pénible. Au moment de mourir, peu après, il fit
promettre à son fils de s'attaquer à la friche et d'en
faire une terre à labour d'un bout à l'autre. Et il
ajouta que si le fils ne pouvait pas le faire, il
reviendrait lui-même de l'Autre Monde pour mener
le travail à bien de ses propres mains. Le fils promit
de nettoyer de son mieux la terre sauvage et d'y
semer du blé s'il disposait d'assez de vie pour le faire.

Et il l'aurait fait sans faute s'il n'avait été enrôlé de force dans les armées de Napoléon le Vieux qui était à la tête du pays en ce temps-là. Il était mort gelé sous les galons de sergent-major dans un pays interminable, vers l'est. C'est pourquoi le père devait revenir chaque nuit pour travailler de la marre. Et chaque nuit il abattait beaucoup d'ouvrage. Mais quand il revenait, la nuit suivante, la végétation sauvage et la pierraille avaient regagné presque tout le terrain perdu par eux. Et le vieux recommençait à s'acharner sans perdre courage parce qu'il avançait quand même de la longueur d'un manche de bêche tous les cent ans.

" Et vous ? demanda-t-il pour finir. Pourquoi revenez-vous ? "

" Je cherche quelqu'un qui soit capable de me remettre dans le bon chemin ", répondit le prudent Jean-Pierre Daoudal.

" Ce n'est pas facile, dit l'autre entre deux coups de sa marre. Il y a tant de chemins qui ne sont pas le bon. "

« Le maître de Trémoré prit congé du défricheur et reprit sa marche. Ce qu'il voyait autour de lui, il faudrait plusieurs existences pour le raconter. Chaque personnage qui menait son jeu à travers la terrasse infinie, entre les cantiques d'en haut et les imprécations d'en bas, aurait valu la peine qu'on lui demandât d'exposer les raisons de son séjour en ces lieux. Mais Jean-Pierre Daoudal redoutait de commettre, en paroles ou en actions, quelque faute qui aurait attiré sur lui un châtiment dont il n'avait pas la moindre idée. Pourtant il fit route pendant quelques instants avec une femme qui s'en allait toutes les nuits soigner sa fille quelque part à l'endroit du monde. Elle était morte en couches, son mari avait pris une seconde femme qui ne se souciait nullement

de l'enfant de la première. C'était donc à celle-ci de
revenir la nuit afin de dispenser à la petite les soins
nécessaires pour la tenir en vie. La pauvre femme
était pressée, elle quitta Jean-Pierre Daoudal sans
même dire adieu au moment où ils arrivaient devant
un énorme château en ruine qui se dressait au cœur
d'un bois, à moins d'une lieue de Trémoré. Etait-ce
bien lui ou un autre qui lui ressemblait beaucoup?
On entendait des bruits de grosses pierres tombant
dans les douves du haut des tours et des courtines. Il
y avait trois hommes occupés à démolir les murailles
du château. Et en bas, dans la cour, une dame
habillée de blanc leur criait de temps en temps :
avez-vous trouvé, mes frères?

« Jean-Pierre Daoudal s'approcha de la dame
blanche. Quand elle le vit venir, elle étendit les deux
bras pour le repousser. Elle semblait furieuse.

" Allez-vous-en d'ici, dit-elle. Ceci n'est pas à
vous. "

« Comme il ne bougeait pas, elle vint tout contre
lui et le regarda de près avec des yeux très noirs dans
un visage blême. Alors elle se fit humble.

" Je vois que vous êtes de ceux qui ont le droit de
savoir. Sachez que notre père, partant pour les
Croisades, a caché un trésor dans ces murs sans
indiquer à personne l'endroit où il se trouve. Il n'est
pas revenu de guerre. Mes trois frères et moi nous
avons cherché partout. Aucun de nous n'a voulu se
marier ni quitter le château pour ne pas laisser sa
part aux autres. Ils sont restés pour l'or et moi pour
les bijoux. Nous avons tout fouillé de fond en comble
et, comme nous ne trouvions rien, nous avons
commencé à démolir les murs. Cela nous a pris toute
notre première vie. Maintenant, dans la seconde,
nous passons les nuits à détruire le reste de la
maçonnerie, espérant y trouver la cachette du père.

Hélas ! Toutes les nuits, les pierres que nous avons descellées et jetées dans les douves la nuit précédente, nous les retrouvons remontées à leur place. Pas toutes, mais presque. Nous y gagnons une rangée de pierres tous les cent ans. Un temps viendra où, de ce château, il n'y aura plus un seul pan debout, à moins que nous n'ayons découvert le trésor avant. Peut-être savez-vous où il se trouve ? "

" Je ne sais rien, dit le maître de Trémoré, je ne suis qu'un passant de hasard. "

« Et cependant la dalle de pierre, sous les pieds de la dame, répandait une lueur verte et dorée qu'il était seul à voir. Le trésor était là. Mais pourquoi le prudent Jean-Pierre Daoudal aurait-il pris le risque de changer le cours des choses ? Il s'en alla plus loin pendant qu'elle continuait de crier, le visage tourné vers le haut des murs : eh bien, mes frères, avez-vous trouvé ?

« Il était plus de minuit. Comment le savait-il ? Il le savait. Maintenant, il y avait tant de monde en marche et en attente autour de lui qu'il se serait cru à la foire de La Martyre si ces gens-là n'avaient pas été si indifférents les uns à l'égard des autres. Et les animaux qui les accompagnaient ne s'occupaient que d'eux-mêmes. Mais, pendant qu'il se frayait un passage à travers la foule, Jean-Pierre Daoudal se trouva en face d'un petit homme sec, un boiteux enveloppé d'un grand manteau noir et qui tirait derrière lui une haridelle attelée à une charrette branlante. Il le reconnut aussitôt. C'était le cordonnier du bourg, le dernier mort de l'an précédent, qui faisait là son office de charretier des Trépassés. L'*ankou* le reconnut aussi.

" Comment êtes-vous arrivé jusqu'ici, maître de Trémoré, dit-il d'une voix fâchée. C'était à moi de vous amener, et à moi seul.

— Je sais, mais ce n'est pas ma faute. Je me suis trompé de chemin quelque part. C'est peut-être seulement un tour de lutin. Je m'en vais chez vous pour vous attendre.

— Encore deux mois et j'en aurai fini. Un autre sera maître du char pour un an. Je sais déjà qui, mais je ne peux pas vous dire son nom. "

« Il tira sur la têtière de la bête efflanquée. La carriole repartit en cahotant. Quand elle passa devant Jean-Pierre Daoudal, il vit qu'il y avait dedans quatre hommes qui jouaient aux cartes et une femme qui continuait son tricot. La moisson de la nuit promettait d'être bonne.

« Un peu plus tard, marchant toujours, il avisa un grand diable d'homme, assis tout seul à l'écart sur une pierre grossièrement taillée.

« Cet homme avait l'air préoccupé. Alors que tous les autres vaquaient à leurs affaires sans hésitation, lui seul était arrêté net et ne savait comment se remettre en route.

" Vous avez trouvé là un escabeau solide, lui dit le maître de Trémoré.

— Ce n'est pas un escabeau, soupira l'autre, c'est une pierre de bornage. Sa place n'est pas sous mon train arrière, mais je ne peux pas la porter là où elle devrait être.

— Si vous me disiez ce qu'il en est, dit Jean-Pierre Daoudal, je pourrais peut-être vous aider de quelque manière. "

« Sans faire mine de se lever, tellement il avait perdu courage, l'homme lui raconta comment, quand il vivait à l'endroit du monde, il avait déterré cette pierre de bornage et l'avait replantée plus loin, gagnant ainsi un morceau de terre au détriment de son voisin, pourtant plus pauvre que lui. Depuis qu'il était mort, il cherchait à remettre la pierre à sa vraie place pour pouvoir gagner sa paix et entrer dans les Joies. Mais d'abord, il avait perdu beaucoup de temps parce qu'il ne pouvait pas s'empêcher de tricher un peu, un tout petit peu, et puis presque pas du tout, mais d'une largeur de main quand même. Et la pierre retournait d'elle-même à l'endroit où l'avait plantée le voleur de terre. Il se décida enfin à être complètement honnête. Mais ce fut la pierre qui refusa de reprendre sa juste place. En se battant avec elle toute la nuit, il arrivait à l'en rapprocher un peu, mais la nuit suivante elle avait reculé de nouveau. Pas d'autant qu'il l'avait avancée, mais presque. Selon lui, il gagnait la largeur de sa pierre tous les cent ans. Il pouvait donc espérer, avec assez de patience, en finir avec sa dette. C'est alors que la malchance l'avait frappé.

" La nuit dernière, dit-il, je suis allé comme d'habitude travailler ma pierre. Comme d'habitude aussi, j'avais dans ma poche la plante Alleluia qui permet d'aller d'un monde à l'autre. Je ne sais pas comment j'ai fait, mais je l'ai perdue. J'ai eu beau la rechercher pendant tout le reste de la nuit, ce fut en vain. Alors j'ai pris la pierre sur mon épaule et je suis rentré ici comme je pouvais le faire sans difficulté. C'est seulement pour aller de l'autre côté qu'il me faut la plante Alleluia. Et chacun de nous n'en a qu'une pour sa part. Comment ferai-je maintenant pour me racheter. "

« Sans réfléchir plus avant, le maître de Trémoré mit la main dans sa poche, en tira son mouchoir et le déplia sur son autre main. Apparut l'étoile rougeâtre à cinq branches et pistil, dans sa couronne de feuilles dorées, rondes et grasses. Elle s'était dépliée avec le mouchoir.

" La plante Alleluia, dit Jean-Pierre Daoudal, c'est peut-être ceci ? "

« C'était cela. L'instant d'après, elle était passée de la poche du maître dans celle du grand diable d'homme. Celui-ci, incontinent, chargea la pierre de bornage sur son épaule et s'en fut à grands pas vers son chantier.

« Quant au maître de Trémoré, à peine s'était-il séparé de la plante qu'il se retrouvait dans son vieux chemin, devant le petit chêne qui lui arrivait au genou. Il l'enleva de terre avec précaution, puis il alla le replanter sur le dos d'un talus de bonne largeur. Ses arrière-petits-enfants en auraient du bois pour leurs armoires de noces.

« Le soleil était juste en train de se lever. Avant de rentrer chez lui, Jean-Pierre Daoudal s'en alla saluer ses morts au cimetière et s'assurer que les femmes avaient accommodé les tombes comme il fallait. N'était-ce pas pour cela qu'il avait quitté Trémoré la veille, revêtu de ses grands habits ! Tout était parfaitement bien, sauf que les morts étaient sous terre et ne soufflaient mot. C'est alors qu'il regretta d'avoir rendu la plante Alleluia au voleur de terres. S'il l'avait gardée pour lui, sans doute aurait-il pu revoir les visages de ses Trépassés et apprendre d'eux quelle sorte de destin était le leur dans l'Autre Monde. A moins qu'ils ne fussent tous élus ou réprouvés, car il n'en avait pas rencontré un seul pendant son voyage. Et au manoir de Trémoré, de mémoire de Daoudal, il n'y avait jamais eu de revenant.

« Vous aimeriez peut-être savoir ce qu'il advint de Jean-Pierre Daoudal après son retour de ce pays étrange où il faut cent ans pour avancer dans une lande de la longueur d'un manche de bêche, cent ans pour desceller une rangée de pierres dans les murs d'un château quand on est trois, cent ans pour déplacer une borne de sa propre largeur à condition de ne pas égarer la plante Alleluia. Eh bien, c'est à

cette plante, précisément, que personne ne voulut
croire quand le maître de Trémoré, cet homme sage
et prudent, raconta son aventure. Comme on le
savait incapable de mentir et dépourvu d'imagination à l'ordinaire, il fallut bien admettre que sa tête
s'était dérangée au cours de cette nuit qu'il avait
passée dehors et dont il rendait pourtant compte sans
jamais varier d'un détail. Malgré toutes les recher-
ches qui furent faites, jamais personne ne put découvrir la moindre étoile à cinq branches, de couleur
rougeâtre, portant un pistil en son centre, éclose dans
une couronne de feuilles dorées, rondes et grasses. Et
l'on plaignit ce pauvre Jean-Pierre Daoudal d'être
tombé dans l'innocence. Quant à lui, il prit le parti
de se taire et puis, un beau jour, il disparut.

« On le chercha longtemps. C'était un notable de
son pays et il était aimé de sa famille. Une fois, on
crut l'avoir retrouvé sous les traits d'un vieillard un
peu simple d'esprit et incapable de dire son nom que
des bonnes sœurs avaient recueilli à plus de cent
lieues de Trémoré et qui faisait des merveilles dans le
jardin du couvent. Si c'était lui, il fut laissé en paix.
Mais certains prétendirent, et Fanch Lukas le premier, que Jean-Pierre Daoudal avait fini par remettre
la main sur une plante Alleluia. A-t-il pu la reprendre
au voleur de terres, l'homme à la borne ? En a-t-il
dépouillé quelque autre marcheur de nuit ? Si vous
aviez connu Fanch Lukas, il vous aurait dit que le
maître de Trémoré continue à marcher invisible
parmi nous, lui et des foules d'autres qui mènent leur
train à certaines heures de jour et de nuit sans nous
gêner le moindrement. Et il aurait ajouté en confidence que s'il avait quitté le manoir, c'était parce
que, peu de temps après la disparition de Jean-Pierre
Daoudal, dit Alleluia, il avait fallu supporter la
présence d'un revenant à Trémoré. »

A mesure que Yann Quéré avance dans son récit, Pierre Goazcoz, tout occupé qu'il soit à l'écouter avec ferveur, distingue de mieux en mieux son équipage. Là où il n'apercevait que des ombres mouvantes ou des masses indistinctes, il y a maintenant des silhouettes figées par l'attention et comme cernées d'un trait net à l'intérieur duquel se précisent progressivement des visages et des mains. Ce n'est pas seulement l'immobilité des hommes — même celle du narrateur constamment tendu par le difficile travail de conter — qui permet au maître de l'*Herbe d'Or* de les reconnaître tels qu'ils sont, ni l'attention passionnée qu'il leur porte pour bien se pénétrer de leur image une dernière fois. C'est une lumière froide qui élargit sa vision, repousse les bords de ce cocon où ils sont enfermés depuis de longues heures et qui donnait de toutes parts sur le néant. La crasse recule en perdant de sa densité. Il peut suivre, dans leur chute hésitante, quelques derniers flocons de neige qui fondent avant d'entrer en contact avec l'*Herbe d'Or*. Quand il lève les yeux, il voit scintiller une bonne douzaine d'étoiles éparses. Et soudain, il sent dans le bas de son corps un soupçon d'instabilité. Il ferme les paupières pour mieux se concentrer sur cet infime roulis. A grand-peine il se met debout pour mieux l'éprouver des talons à la nuque. Il n'y a pas de doute, le bateau bouge, il va s'ébranler. Cela veut dire que la mer reprend vie.

Entre les côtes de Pierre Goazcoz, la douleur lancinante est rompue par des battements inégaux. Il n'en a cure désormais. Il s'étonne de la lucidité que cette agonie lui procure en aiguisant ses sens. Est-il vrai que certains mourants perçoivent mieux le monde autour d'eux que les êtres pleins de vie qui les

observent en attendant leur fin? Pierre Goazcoz
ouvre les narines tant qu'il peut. Il fait aller lentement sa tête de droite à gauche et de gauche à droite
pour présenter ses joues aux plus petites émotions du
ciel. Le vent est en train de se réveiller. Il forcit même
assez vite. Et l'*Herbe d'Or,* sur une houle encore
indécise, commence à entrer dans le jeu du roulis et
du tangage. Le mât de taillevent entame ses oscilla-
tions. Où est la voile qui reste? On l'avait oubliée,
celle-là. Il la voit, bien ramassée sous son banc, prête
à monter au mât. Bien, très bien. Le marin écoute de
toutes ses oreilles. Des murmures, très faibles encore,
lui parviennent. La voix des écueils. Bientôt, il
pourra les reconnaître, savoir exactement où il est.
N'a-t-il pas promis de ramener ses hommes au sec!
Sur la dernière phrase de Yann Quéré, il se laisse
choir à sa place. Tout son corps le martyrise du coup.
Il trouve cependant la force d'en sortir le cri de
triomphe qui retentit, depuis des millénaires, sur les
mers mortes.

— Le vent se lève! Tenez-vous prêts!

L'équipage ne réagit pas tout de suite. Aucun
visage ne se tourne vers lui. L'ont-ils seulement
entendu? Son cri l'a pourtant secoué tout entier
jusqu'à presque lui démanteler son sac d'os. Sont-ils
encore sous l'empire de cet étrange récit émané d'une
bouche d'ombre? Pourtant, il n'y a pas là de quoi les
surprendre outre mesure. Il les sait capables de
mener la double vie qu'il a menée lui-même, de
s'évader à tout instant vers des mondes fabuleux
qu'ils font naître en eux-mêmes tout en se prêtant
sans défaillance à ces tâches matérielles qui sont leurs
véritables illusions et dont la première est d'obéir au
maître du navire. S'il en était autrement, jamais ils
n'auraient posé le sabot sur l'*Herbe d'Or.* Que leur

arrive-t-il ? Le vent arrive et les voilà encalminés à leur tour.

N'oseraient-ils y croire, à cette résurrection ? Ils se mettent en mouvement au ralenti. Alors il comprend qu'ils ont flairé presque en même temps que lui les premières risées. S'ils ont tardé à bouger pied ou patte, c'est parce qu'ils retenaient leur respiration de peur de faire s'évanouir les souffles précaires du ciel, excités peut-être par le souffle même du narrateur. Encore un peu désemparé, l'équipage, incertain de la conduite à tenir, attendant un ordre sans équivoque. Le voilà !

— Hissez tout !

Et c'est le branle-bas. Ils se démènent tous ensemble, se bousculent pour faire monter au mât de taillevent un haillon de voile qui va les désengluer, espèrent-ils sauvagement. Et la toile flotte, fasceye, claque, finit par cueillir le vent. Et craquent les membrures de l'*Herbe d'Or*. La barre commence à répondre... Pierre Goazcoz la malmène un peu pour obliger les hommes à s'assurer sur leurs jambes. Des cris confus, quelques jurons de joie, des rires qui s'étouffent et reprennent dans l'aigu, des bourrades. A l'avant, Yann Quéré ouvre ses bras aux étoiles et hurle :

— Père ! Père ! Nous avons retrouvé notre château de toile, seigneur Dieu !

VIII

L'omelette était fameuse, il n'en est rien resté.
Ensuite, Marie-Jeanne Quillivic est montée au grenier pour en ramener des pommes plein son tablier.
Il y avait de grosses « teint-frais », de celles qui
servent pour la galette aux pommes. Tous les hommes Douguet en étaient friands, dit la mère, et la fin
des teint-frais les plongeait dans une mélancolie
qu'elle devait guérir en leur confectionnant un
« kuign-amann[1] » à la mode de Douarnenez. Les
hommes! Tous des becs sucrés, même ceux qui s'en
défendent en prétendant que c'est là le péché mignon
des femmes. Il ne faut pas les croire, n'est-ce pas,
Hélèna Morvan! Et Lina Kersaudy, qui tient un
hôtel, pourrait en raconter là-dessus de belles jusqu'à
demain si elle voulait. Pour donner raison à Marie-
Jeanne — et comment faire autrement! — Nonna
Kerouédan dut ingurgiter, malgré ses protestations,
la plus grosse des teint-frais. Et pendant qu'il s'ac-
quittait laborieusement de cette épreuve redoutable
pour son estomac noué, les trois femmes, à tour de
rôle, se moquaient gentiment des mines de vieux chat
qu'il accentuait à plaisir pour les tenir en bonne

1. Gâteau de beurre.

humeur. Tant que durerait ce jeu, et c'en était un pour tous les quatre, on gagnerait du temps, on éviterait des sujets de conversation dont un détour imprévu risquerait de mener vers la mortelle inquiétude. Hélèna Morvan, par sa seule présence et ses seules paroles, avait tenu le drame en respect, mais pendant combien de temps encore opérerait son pouvoir ! Le vieux Nonna s'employait à l'aider de son mieux.

Dans le tablier de Marie-Jeanne, il y avait d'autres pommes, les plus nombreuses. Ridées, ratatinées, pas belles à voir, mais que l'on devinait de robuste santé. Quand Hélèna, la première, en prit une pour y porter les dents, la peau rousse et grenue céda un peu avant d'éclater. Et aussitôt la femme eut une grimace qui lui plissa tout le visage autour des lèvres et des yeux. Toute habituée qu'elle fût aux baies sauvages, aux aigres poires que l'on dit de gendarme et aux pommes sans nom qui se nouent sans jamais mûrir, hors de tout verger, sur des arbres sans père ni mère, elle fut un peu surprise au début par cette âcreté. D'un seul coup, elle détacha un quartier de la pomme. On en vit rouler la chair dans sa bouche pendant qu'elle la mâchait pensivement sous les regards attentifs des trois autres. Son visage s'éclaira. L'instant d'avant, elle se sentait sur le point de perdre courage, le jus violent du fruit qui descendait en elle lui rendait une nouvelle vigueur.

— Je ne voudrais pas vous désobliger, Marie-Jeanne, dit-elle, mais cette pomme-ci me convient beaucoup mieux que toutes les autres.

Et Marie-Jeanne de triompher bruyamment.

— A moi aussi, Hélèna. Nous allons donc laisser les teint-frais aux hommes. Je l'ai toujours fait dans cette maison. Ce vieux gourmand de Nonna ne va quand même pas les manger toutes. Vous m'entendez, Nonna ?

— Je vous entends bien.

Il referma son couteau dont il s'était servi pour venir à bout de la teint-frais car ses vieilles dents ne lui auraient pas permis de mordre à même le fruit comme faisait Hélèna. Il se leva vivement du banc pour aller jeter le trognon dans le feu, revint en se frottant les mains, remuant sans bruit ses mâchoires vides. Qui aurait su lire sur ses lèvres l'aurait entendu répéter l'*Herbe d'Or*, l'*Herbe d'Or*, l'*Herbe d'Or*. Peut-être Hélèna l'entendait-elle, qui dévorait sa pomme sans le quitter des yeux. Marie-Jeanne Quillivic tenait un œil sur Lina Kersaudy, humble et muette au bout de son banc.

— Je vais vous peler une de ces misérables pommes, Lina. Vous y goûterez. La peau en est un peu dure si on n'a pas l'habitude. Quand Alain Douguet était petit, je lui donnais la pomme nue et je mangeais moi-même la pelure. Nous étions contents tous les deux.

— J'aimerais mieux la manger comme elle est, Marie-Jeanne Quillivic. Je vais peut-être vous apprendre quelque chose. Alain Douguet et moi, en sortant du catéchisme, nous sommes allés plus d'une fois chaparder de ces pommes par la campagne. Et nous les mangions tout entières, avec la peau et les pépins, sans même les frotter sur la manche pour les faire briller. Allez donc !

— Par exemple ! Il ne m'a jamais dit ça, ce garnement. On ne sait jamais ce que font les enfants. A la bonne heure, ma fille.

Lina s'était déjà emparée de la pomme. On allait voir. A belles dents elle l'attaqua par le haut, le trognon y passa sans qu'on en vit même la couleur et la jeune fille ne tarda pas à montrer la queue du fruit entre le pouce et l'index. Tout ce qui restait. Lina Kersaudy fut heureuse de s'être mise à l'unisson des autres, surtout quand Hélèna lui prit le poignet pour le serrer fort. Les deux autres, après cet exploit, la regardèrent droit dans les yeux. Elle ne se sentait presque plus coupable.

Et l'on se mit à parler d'autres choses. Hélèna fut priée de raconter par le menu sa vie dans les collines de l'intérieur où elle était née. Pour ceux qui l'écoutaient parler, elles étaient à cent lieues, ces collines, leurs habitants avaient certaines façons de faire proprement déconcertantes et pourtant cette femme qui en descendait pour la première fois de sa vie, qui était là devant eux, habillée selon une mode qui n'était pas la leur, parlant leur langage avec plus de rudesse dans l'accent et quelques mots inconnus dont ils n'osaient pas demander le sens, cette femme leur ressemblait si fort pour l'essentiel qu'ils s'enorgueillissaient de l'avoir parmi eux comme une cousine de haut rang. Ils oubliaient qu'elle était plus pauvre qu'eux-mêmes, impressionnés qu'ils étaient par cet étrange rayonnement qui émanait de sa personne et leur communiquait un bien-être plus étrange encore. Quand elle s'arrêtait de parler, ils la priaient d'une seule voix de poursuivre, ils lui posaient d'autres questions, ils avaient peur de se réveiller si venait à se taire cette voix qui les tenait en état de grâce. Et c'était elle qui devait s'excuser d'être seule à faire aller sa langue, elle qui leur reprochait de ne rien dire de leurs travaux et de leurs jours alors qu'elle aurait aimé être payée de retour pour ses confidences. Et Marie-Jeanne Quillivic déclarait qu'elle espérait bien la garder longtemps et qu'ainsi Hélèna Morvan pourrait savoir par elle-même comment ils vivaient sur la côte. Elle allait jusqu'à promettre, malgré son âge, d'aller la voir

dans sa montagne, voilà ! Quant à Nonna Kerouédan, il prétendait que ses radotages ne pouvaient
intéresser que des hommes, et encore, outre qu'ils
risquaient de le mettre mal avec Marie-Jeanne. Et
vous, Lina ? interrogeait celle-ci, curieuse de faire
meilleure connaissance avec sa future bru. Lina ne se
faisait pas trop prier pour raconter le train-train de
l'hôtel-restaurant. Elle rapportait les nouvelles du
monde qu'elle avait apprises de la bouche des
commis voyageurs, elle faisait le portrait de certains
d'entre eux qui étaient d'assez curieux personnages.
Elle savait observer, la fille de Lich Mallégol. Elle
faillit faire rire la tablée avec la dernière aventure de
Joz-du-bureau-de-tabac et de son car boudeur. Mais
elle donnait bien vite la parole à Hélèna Morvan.
Elle avait autant envie que les autres de se réfugier en
elle.

Deux ou trois heures passèrent ainsi. C'est étonnant comme on peut s'étourdir d'écouter et de parler
jusqu'à oublier le temps qui fuit, et c'est habituellement la rançon du bavardage, mais aussi jusqu'à
évacuer tout autre contenu de conscience que ceux
qui sont impliqués dans les conversations. Il y faut,
bien sûr, une Hélèna Morvan ou quelqu'un de sa
trempe. Quoi qu'il en soit, pendant deux ou trois
heures, le temps du drame fut suspendu.

Or, Nonna Kerouédan, sans montre ni horloge, ne
laissait pas de mesurer ce temps-là. A un moment, il
se leva et se dirigea vers la porte. Les trois femmes
comprirent d'abord qu'il allait se mettre en règle
avec sa boutique à eau. Ce n'était pas cela. Il avait
cru entendre grincer un volet. Un volet qui grince,
c'est un vent qui se lève ou qui tourne. Le vieil
homme sortit sans prendre la peine de refermer
derrière lui. Hélèna s'interrompit au milieu d'une
phrase. Suivant son regard, Marie-Jeanne et Lina se

tournèrent vers la porte. Nonna reparut dans l'embrasure, haletant d'émotion.

— Venez vite. La brume a fondu. Le ciel est plein d'étoiles. Le vent s'est levé. Ils sont en route pour venir à la côte.

L'*Herbe d'Or* navigue maintenant sur une houle courte. L'océan recommence à parler de toutes ses voix, si indistinctes qu'elles soient encore. De vagues lueurs traversent le ciel, sans que l'on puisse savoir s'il s'agit de feux tournants. Des chocs à l'étrave font bondir d'allégresse les cœurs de l'équipage. Les hommes sont tendus comme jamais, pas un d'entre eux ne saurait articuler mot. Ils regardent intensément devant eux. Des bêtes aux aguets, voilà ce qu'ils sont. A la barre, Pierre Goazcoz essaie de ne faire qu'un avec son bateau, avec les eaux vivantes, avec le ciel même et les étoiles. Il cherche la terre qui se dérobe encore. Plusieurs fois il change de cap, si l'on peut appeler cap une direction sans autre repère que l'instinct et les obscures indications des sens. La côte n'est pas loin d'être en vue, il en est sûr. Mais peut-être le brouillard dont s'est vidé le large l'enveloppe-t-il encore ! Qu'elle se dépêche de se nettoyer ! C'est son approche qui est dangereuse. Combien de barques se sont brisées sur ses étocs ! Où en est la marée ? Le vieil Ulysse entendait au moins le chant des sirènes. Et il était en pleine force, lui. Il n'avait pas dans la poitrine cette déchirure qui allait faire céder sa carcasse d'un seul coup quand éclaterait le dernier nœud. Et si cette déchirure était l'Herbe d'Or elle-même, en train de se déraciner ! De se déraciner avec un bruit familier qui vient battre à ses oreilles.

Les Gisti ! La barre d'écueils des Gisti [1]. Les laisser à
tribord large et ensuite... Béni soit le chant des
sirènes.

Il a un instant de faiblesse dont profite la voile
pour flotter à grand bruit. Quand il la rétablit, il
entend une voix énorme, celle d'Alain Douguet.

— Un feu droit devant !

Pourquoi lève-t-on la tête vers le ciel quand vos
souhaits sont accomplis ? Pierre Goazcoz aimerait
compter les étoiles. Il y en a trop.

— Mon Dieu, comme le temps s'use vite avec
vous ! Lina, cherchez-moi donc les épingles. Dans la
tasse jaune, à gauche, sur le vaisselier.

— Je ne vois qu'une tasse bleue.

— C'est elle. Ici, on dit la tasse jaune parce qu'elle
est venue du pays de Chine avec Douguet quand il
était sur les bateaux du gouvernement.

Dans la maison de Marie-Jeanne Quillivic, on
s'affaire à la servir. Elle est debout devant la table
que l'on a débarrassée des pommes. Devant elle, un
miroir est appuyé contre une écuelle à soupe. Elle a
bien du mal à se voir dedans car il glisse toujours.
Restez donc tranquille où vous êtes, lui enjoint-elle,
fâchée, deux ou trois fois avant qu'Hélèna, assise sur
le banc, ne le prenne entre deux doigts pour le tenir
en place. Mais elle tremble un peu, elle aussi. Nonna
Kerouédan tourne en rond sur la terre battue, les
mains au fond des poches, impatient. A tout instant,
il va cracher dehors par la porte restée ouverte. Lina
Kersaudy, qui se tient derrière Marie-Jeanne, atten-
tive à ses ordres, se demande où le vieil homme va
prendre tant de salive. Marie-Jeanne se désintéresse

1. Les Putains.

de lui. Elle est occupée à peigner ses cheveux gris, à les remonter en les lissant par-dessus son bonnet noir, à les ramasser au sommet de la tête à l'intérieur du peigne rond et elle n'arrête pas de pester. Rien ne va comme elle voudrait. Derrière l'écuelle sont étalées ses coiffes blanches, toutes raides d'empois.

— Je n'ai jamais mis mes coiffes à des heures pareilles, gémit-elle. Jamais je ne suis allée attendre mes hommes sur le port. C'est à cause de cette Hélèna Morvan que nous avons tant de mal. Mais je ne peux rien lui refuser. Non, je ne peux pas.

— Pour dire vrai, l'encourage Hélèna, c'est maintenant que vous allez marier votre fils, Marie-Jeanne. Et même, après ce qui s'est passé entre ces deux-là, il faudra peut-être que vous le demandiez en mariage pour Lina. Il vous convient donc de mettre votre plus belle coiffe et votre châle neuf.

— C'est assez juste, Hélèna. Vous pensez à tout.

Lina Kersaudy est anxieuse tout soudain. L'épreuve n'est pas finie.

— Est-ce qu'il voudra encore me prendre ?

Marie-Jeanne en laisse tomber sa dernière épingle à tête noire. Ce qu'il faut entendre, tout de même. Et dans sa propre maison encore.

— Et qui commande, ici ? J'ai servi mes hommes toute ma vie, j'ai fait pour eux mes sept possibles et toujours quelque chose de plus. Aucun d'eux n'a jamais élevé sa voix contre mon sentiment ni traversé mes paroles. Aucun d'eux, pas même mon mari, le grand Douguet, qui était un homme à cheveux rouges et n'a jamais plié devant personne. Lina, trouvez-moi donc cette épingle à tête noire qui m'a échappé des mains. Et apportez-moi celles à tête blanche. Je dirai tout à l'heure à mon fils : « Alain Douguet, Lina et moi nous sommes d'avis de faire la noce le premier mardi de février. Demain, j'irai chez

Fanch Loussouarn commander le lit. L'armoire est au compte de Lich Mallégol. Et toi, tu vas blanchir la maison dehors et dedans.» Voilà ce que je lui dirai. Et il répondra : « Si c'est votre volonté, c'est aussi la mienne.» Allez me chercher mon châle, dans le banc.

Et Marie-Jeanne prend sa coiffe à deux mains, l'élève comme fait le prêtre du Saint Sacrement et se l'impose sur la tête avec précaution. Une reine ne ferait pas mieux. Les lacets sont vivement épinglés, il ne restera qu'à les nouer sous l'oreille gauche.

— Est-ce que c'est loin, Nonna, le bout de ce que vous appelez la jetée?

— Non. A peine dix minutes à marcher.

— C'est par là qu'ils doivent revenir, n'est-ce pas?

— Forcés qu'ils sont. Mais ils viendront se mettre à quai plus près.

— Quand même. Il vaut mieux aller les attendre au bout de la jetée. Ils nous verront plus vite. Lina, qu'avez-vous fait de la lanterne de Joz-du-bureau-de-tabac?

— Je l'ai éteinte en arrivant devant la barrière de la cour et je l'ai posée contre la maison. Je vais la chercher.

— J'en ai deux autres, déclare fièrement Marie-Jeanne. Et une troisième dont le verre est fêlé. Il en manque même un morceau, je crois bien. Allez chercher les deux qui sont entières, Nonna! Dans le débarras, sur l'appui de la fenêtre. Allons! Remuez-vous un peu, pataud que vous êtes!

— J'y vais.

— Est-ce que ma coiffe n'est pas un peu de travers, Hélèna?

— Ne vous faites pas de souci. Elle est d'aplomb comme un clocher d'église.

— Eh bien, nous allons... partir. Attendez ! Il faut que je m'assoie un peu sur le banc.

— Prenez votre temps, Marie-Jeanne. Nous vous avons fatiguée avec nos bavardages et tout le mal que vous vous êtes donné pour nous.

— Ce n'est pas la fatigue. Quelquefois il arrive que mon corps ne sait plus bien se tenir debout. Cela ne dure jamais longtemps. Hélèna, je voudrais savoir si les hommes seront revenus avant la dernière sonnerie de cloches.

— Ils seront revenus.

— Comment le savez-vous ?

— Je ne le sais pas. Je ne peux pas assurer non plus que le soleil se lèvera demain. Mais je crois qu'il fera jour.

Lina Kersaudy a retrouvé la lanterne de Joz-du-bureau-de-tabac. Elle l'a allumée devant l'âtre. Maintenant, elle se tient debout derrière Marie-Jeanne Quillivic, un peu prostrée, qui attend que son corps ait réappris à se tenir debout. La mère des Douguet ne se lèvera pas avant d'être sûre de pouvoir marcher droit. Nonna Kerouédan revient du débarras avec les deux lanternes déjà allumées. Il s'arrête au milieu de la pièce pour regarder les trois femmes sous la lampe. Ce n'est peut-être pas bien, mais il pense aux trois autres, celles des Saintes Ecritures, vous savez, qui allèrent au tombeau. Le tombeau était vide.

— Allons, dit Marie-Jeanne. Il est temps de se mettre en route. Nonna, donnez une des lanternes à Hélèna. Moi, je n'en ai pas besoin.

Posément, elle tourne le bouton de la lampe à pétrole pour mettre la lumière au plus bas. Elle donne un coup d'œil autour d'elle machinalement. C'est son habitude quand elle sort dans la nuit sans laisser personne à garder la maison où rien ne vit que

ce lumignon tremblant. Les autres l'attendent
dehors. D'un pas assuré, elle les rejoint, passe devant
eux pour prendre la tête du cortège.

— Vous ne fermez pas la porte derrière vous,
Marie-Jeanne ?

— Il oublie, Nonna Kerouédan, que c'est la nuit
de Noël ! Les morts doivent pouvoir entrer chez eux,
même si les vivants ne sont pas là.

— Vous savez toujours ce qu'il faut faire.

— Il y a les morts et les vivants. Et puis il y a les
autres. Allons les chercher.

L'*Herbe d'Or* a gagné les parages familiers. Il vogue
à petite allure, le pauvre château de toile pour
manants démunis. Mais la mer est bonne, on dirait
qu'elle veut se faire pardonner ses fureurs. Le vent est
bon et l'homme de barre n'en perd pas un souffle. Ce
ne sont plus de vagues lueurs qui passent dans le ciel,
mais le pinceau tournant d'un phare dont on peut
compter les éclats réguliers. Et le ciel lui-même est
étonnamment clair, presque laiteux par endroits. Les
Gisti ont été doublées à tribord large, il n'y a plus
qu'à se laisser porter vers l'entrée de Logan. L'équipage, chacun à son poste, tient les yeux tournés vers
la terre que l'on devine déjà. Le mousse a sorti son
harmonica de sa vareuse et il essaie de retrouver un
air que Pierre Goazcoz sifflait entre ses dents quand
ils ont pris le large. Il y arrive à peu près. Il n'a plus à
craindre la colère d'Alain Douguet. Depuis que le
vent s'est levé, celui-ci lui a déjà tapé deux fois sur
l'épaule à petits coups. Ça va, Herri ? Ça va, petit ?
Ça va ? Et ils se sont fait des grimaces comme des
galopins. Mais pourquoi donc les deux autres ont-ils
revêtu cette sombre expression qu'il ne leur a jamais

vue quand leurs chances de se tirer d'affaire ne valaient pas plus que la moitié de rien?

Il va le savoir tout de suite. Un bruit sourd derrière lui et l'étrave dévie, la voile se vide et folleye, la barque se met en travers de la houle, ce n'est plus qu'un jouet à la merci des courants. Herri n'a pas eu le temps de se retourner que Corentin et Yann ont déjà bondi. L'un empoigne à deux mains la barre folle pour remettre l'*Herbe d'Or* au plus près du vent, l'autre se penche sur Pierre Goazcoz tombé sur le caillebotis. Il est ramassé sur lui-même, la bouche ouverte, les yeux étonnés, une main agrippée au prélart sous lequel a dormi le mousse.

— Qu'est-ce qui se passe? crie Alain Douguet qui n'a pas bougé.

Et la réponse n'est pas pour le surprendre.

— Il est mort.

L'*Herbe d'Or,* sous la poigne de Corentin, s'est si bien remis dans sa ligne qu'on n'entend plus guère que ce frisson de soie qui témoigne des parfaites épousailles d'un voilier et de l'eau vivante avec le vent pour entremetteur. Yann a fermé les yeux du maître pêcheur. Aidé par Alain Douguet, il a tiré le corps au milieu du bateau pour qu'il repose de tout son long. Le visage sans regard du mort s'étonne toujours. Brusquement, Yann le recouvre du prélart pour échapper à la tentation de le jeter à l'eau. Il y a Nonna Kerouédan qui l'attend à terre. C'est lui qui sait. Le mousse frotte son harmonica contre sa vareuse.

— Yann, où est-il maintenant, Pierre Goazcoz?

— Au paradis, fiston. Je ne sais pas lequel, mais dans son paradis à lui.

— C'est drôle. Nous sommes dans la nuit de Noël, nous avons manqué de finir notre vie dans l'eau, nous avons beaucoup parlé, mais jamais il n'a été question

du Bon Dieu ni de tout ce qu'on nous apprend à
l'église.

— Détrompe-toi, Herri. Il n'a jamais été question
d'autre chose.

Arrivent maintenant les oiseaux de mer. C'est la
dernière étape. Ils mènent des vols serrés autour de
l'*Herbe d'Or*. Quelle envergure ils ont ! Et affamés, les
bougres ! Et ça crie. Dééébris, dééébris. Il n'y a pas
de débris sur l'*Herbe d'Or*. Rien à manger, pas une
écaille, pas une croûte, allez-vous-en ! Vos criailleries
ne servent qu'à réveiller la faim de l'équipage.
Depuis que Pierre Goazcoz, ce fou de la tête, est
étendu raide sous son prélart, la vie recommence à
revendiquer ses droits comme on dit vulgairement.
Très vulgairement.

La première sonnerie de cloches se fait entendre à
l'église de Logan lorsque Nonna Kerouédan referme
derrière lui la barrière de la cour. Marie-Jeanne
Quillivic est déjà devant à trente pas, suivie des deux
autres femmes qui se tiennent par la main. Le vieux
doit trotiner un petit moment avant de les rejoindre.
Marie-Jeanne se retourne.

— Est-ce qu'il est capable de nous suivre, ce
Nonna ?

— Allez toujours, répond-il.

La nuit est claire, scintillante là-haut. Malgré la
neige au sol, le chemin est reconnaissable à cause des
arbustes dénudés, de part et d'autre, qui sont seulement coiffés de blanc. A gauche, la rumeur assez
faible de l'océan, rompue par les coups du ressac. Il
souffle un vent sec. Marie-Jeanne se souvient de cette
autre nuit où elle marchait derrière son fils, dans le
même appareil, pour aller demander Lina à sa mère
Lich. Cette fois, tout est changé. La jeune fille est

derrière elle, toute tremblante à l'idée d'affronter
Alain Douguet. Mais elle, Marie-Jeanne, saura régler
tous les comptes avant que l'un ou l'autre n'ait
ouvert la bouche. Ils sont tellement maladroits, ces
deux-là. Quand arrive sur le port le cortège aux trois
lanternes, il n'y a aucune lumière sur le front de mer.
Même Tante Léonie a fermé boutique. Elle doit
s'être rendue à l'église pour dévider des chapelets
avec les autres femmes en attendant la messe. S'il y a
encore quelques hommes aux aguets dans les coins
d'ombre, ils n'auront garde de se montrer, surtout
s'ils reconnaissent la veuve Douguet. Mais la plupart
sont dans leur maison dévastée, assis dans l'ombre,
les coudes aux genoux et les mains pendantes, ou
écrasés de fatigue sur leur lit. Lina pense à sa mère
dans son hôtel épargné que l'on ne peut voir du quai.
Elle l'imagine dans sa cuisine, dévorée d'inquiétude
pour sa fille qui ne revient pas. Les commis voyageurs sont allés se coucher, les journalistes aussi, qui
ont patrouillé sans arrêt à travers Logan pour
pouvoir décrire l'état des lieux, noter leurs impres-
sions, interroger les uns et les autres. A moins qu'ils
ne soient à l'église, eux aussi, pour un supplément
d'atmosphère. Métier oblige. Le téléphone, « l'appareil à parler contre le mur » comme l'appelle Corentine Goanec, a dû travailler ferme. Tous ces gens-là
ont passé l'*Herbe d'Or* aux pertes sans autre profit que
de fournir un supplément de pathétique au discours
du ministre qui viendra demain.

Marie-Jeanne passe d'un pas ferme devant l'amas
de débris et de barques crevées qui s'entasse contre le
mur de l'usine, sous une couche de neige en train de
fondre déjà. Elle semble ne rien voir de la désolation
qui règne partout. Mais Hélèna Morvan, soudain,
s'arrête, prise de faiblesse. Elle ne s'attendait pas à

un tel spectacle. Lina doit la prendre sous le bras
pour l'aider à repartir, à rattraper Marie-Jeanne
Quillivic qui s'est déjà engagée sur la jetée, les bras
croisés sous son châle. Le vent a beaucoup forci. Les
vagues se gonflent et déferlent à grand bruit contre
l'épaisse muraille de pierre. Vers le milieu de sa
longueur, celle-ci a été crevée par les assauts de la
tempête. Elle présente une brèche d'une dizaine de
mètres qui rend difficile d'aller plus loin.
Au bord de la brèche, il y a déjà quelqu'un qui
attend. Une grande femme plantée sur de gros sabots
de bois tout neufs, indifférente à ce qui se passe
autour d'elle, le regard fixé sur l'horizon. Elle n'a pas
eu le courage de mettre sa coiffe, apparemment. Sa
tête est strictement enveloppée dans un tablier de
coton bleu. Depuis combien de temps monte-t-elle la
garde? Marie-Jeanne l'a reconnue.

— Vous êtes là aussi, Fant!

— Il faut bien.

Elle n'a pas bougé. On n'en tirera pas autre chose.
C'est la mère du mousse Herri. Une femme taciturne
qui travaille à l'usine et que personne n'a jamais vue
sourire. Sans reproche autrement. C'est une pitié de
la voir là toute seule quand on ne sait pas qu'elle a
toujours farouchement défendu sa solitude. Quand
Hélèna va pour s'approcher d'elle, Marie-Jeanne lui
prend le bras et la ramène en arrière. Nonna Kerouédan se demande si c'est Fant qui a mis à l'eau le
grand pain noir avec la bougie. De quoi se mêle-t-il!
Ils attendent, Fant à trois pas du groupe des
autres. Les cloches sonnent sur un rythme plus pressé
pour le second appel.

— Il était trop vieux, bougonne Corentin comme
pour lui-même. Son cœur battait de travers depuis

quelque temps. Yann Quéré le sait aussi bien que moi.

— Mais il voulait finir sur son bateau, pas sur un lit de la « grande maison ». Il a eu ce qu'il voulait, le dernier Goazcoz, le fou de la tête. Il est content.

Quand même, l'équipage se sent coupable et honteux de ressentir pareil soulagement. La mort du maître de l'*Herbe d'Or* les a libérés d'une promesse qu'ils n'avaient jamais faite qu'à eux-mêmes : s'en remettre à lui pour conserver l'illusion qu'il était possible d'échapper au sort commun. L'*Herbe d'Or* avait été la défense d'Alain Douguet contre Lina Kersaudy. Il avait quand même succombé, gardant une certaine hargne contre ce Pierre Goazcoz dont il s'était exagéré le pouvoir et n'osant pas le quitter pour ne pas reconnaître ses propres torts. Pour Corentin Roparz, c'était plus simple. Il avait trouvé dans l'*Herbe d'Or* sa vraie maison, partout ailleurs il n'était que de passage, désemparé dès qu'il avait quitté l'ombre de Pierre Goazcoz. Il avait élu celui-ci pour son maître et son vrai père bien qu'il n'eût jamais compris, encore moins partagé cette folie qui était la sienne. L'autre avait été sa protection, son assurance contre les mille pièges que sa timidité lui faisait imaginer dans le monde quotidien jusqu'au moment où il avait rencontré Hélèna Morvan. Depuis lors, cette femme avait assumé le rôle tutélaire de Pierre Goazcoz en même temps qu'elle lui faisait découvrir tout un aspect d'humanité qu'il n'avait jamais soupçonné. Et cette révélation avait dégradé le maître de l'*Herbe d'Or*. Quant à Yann Quéré, le plus proche du fou de la tête, celui qui le comprenait le mieux, il avait fini ses apprentissages à ses côtés, il lui fallait aller plus loin, chercher ailleurs et avec d'autres les obscures satisfactions de ces désirs dont les racines étaient en lui depuis qu'il était né, l'héritage fabuleux de son père sans doute. Pierre Goazcoz ayant payé son échec de sa vie, il ne lui devait plus rien. Peut-être doit-il encore quelque chose, il ne sait pas très bien quoi, à ce petit mousse que le vieux Nonna Kerouédan a initié malgré lui à des mystères qui ne sont que des contes à dormir debout pour les enfants ordinaires mais des graines de vie pour les rares élus de la grâce. Et ceux-là devront payer chèrement le don. Qu'importe! Ce paiement infini d'une dette imposée d'avance n'est-il pas le don de lui-même et sa récompense à la fois? Fou de la tête, Yann Quéré.

Justement, voilà que le mousse vient vers lui. Il se met à genoux sur le banc où il est assis. Les deux autres n'ont plus d'yeux ni d'oreilles que pour la terre qui approche. Ils sont déjà étrangers.

— Tu vas t'en aller, Yann Quéré, n'est-ce pas?

— Il faut que je m'en aille, Herri. Je n'ai plus rien à faire à Logan.

— C'est la plante Alleluia?

— Elle ou une autre. Mais c'est toujours l'Herbe d'Or.

— Je suis encore un trop jeune homme pour m'en aller avec toi. Et puis, je ne suis pas sûr d'être assez fort pour échapper à l'usine. Il y a ma mère. Mais promets-moi de me donner de tes nouvelles. Peut-être un jour me verras-tu arriver. Alors, je serai disponible, rien dans les mains, rien dans les poches.

— C'est promis, fils. Apporte quand même ton harmonica.

La mer a grossi. Sous le pinceau du phare, le quai de Logan est maintenant visible. L'équipage peut compter, une à une, les maisons familières. Mais les hommes s'étonnent de ne voir aucune fenêtre éclairée. Autour de l'*Herbe d'Or,* les vagues charrient des épaves dont la plupart ont été arrachées à la terre. Une cabane d'aisance avec sa porte percée en as de carreau, un abat-vent auquel demeure accroché un pot de fleurs, une brouette qui a perdu sa roue, un balai de genêt, des sabots dépareillés.

— Il y a eu du dégât par ici, dit Corentin. Ils ont été dépouillés comme nous.

Alain Douguet met le cap sur le bout de la jetée que ne signale aucun feu. Il la doublerait les yeux fermés. Mais elle a quelque chose d'insolite, cette jetée. Une brèche vers le milieu de sa longueur. Et au bord de la brèche, du côté de la terre, trois lanternes-tempête immobiles, avec des ombres derrière.

— On vous attend, dit Yann Quéré.

Personne ne l'attend jamais, lui. Il pense qu'il dormira un jour ou deux dans sa chambre du quai si la tempête ne l'a pas détruite et qu'ensuite il ira se saouler à mort pour se refaire à neuf. Et pourquoi ne ferait-il pas une action éclatante avant de dire adieu à Logan. Il pourrait, par exemple, briser la cage du buraliste, en tirer ce pauvre diable de Manche-Vide, et l'emmener boire avec lui, franc du collier et racontant ses campagnes, dans les dix-sept estaminets du bourg et des environs. On les ramasserait tous les deux dans quelque étable où ils cuveraient leur boisson au chaud, sous le souffle des vaches à défaut du bœuf et de l'âne de la Nativité. Joyeux Noël! La mégère d'Henri Manche-Vide pourrait en crever d'indignation. Et pendant un demi-siècle au moins, on célébrerait dans Logan la joyeuse mémoire de Yann Quéré le Libérateur.

Il éclate de rire. Il y a des moments où cette chienne de vie vous offre de fameuses revanches, seigneur Dieu!

— Les voilà !

Nonna Kerouédan a repéré la voile grise au-delà
des vagues déferlantes. Lui seul est capable d'appré-
cier les manœuvres subtiles que doit effectuer l'*Herbe
d'Or* pour entrer dans la passe. Il a dû souffrir, le
bateau, ou son équipage est à bout de forces.
D'habitude, Pierre Goazcoz garde toute sa toile pour
se présenter et il abat au dernier moment. Enfin, ils
sont là. Le vieil homme fait aller sa lanterne-tempête
à bout de bras comme un encensoir.

— Les voilà, répète Marie-Jeanne.

Elle n'a pas trouvé autre chose à dire. Elle se vide
énergiquement la gorge pour s'éclaircir la voix. A elle
de jouer, tout à l'heure. Alain Douguet, revenu à
terre, n'aura qu'à bien se tenir. Lina serait reprise de
tremblements si elle ne devait pas soutenir la femme
de la montagne qui a perdu toute couleur et s'appuie
sur elle de tout son poids. Hélèna se reprend vite.

— Je n'avais jamais vu l'océan, s'excuse-t-elle.

Elle en avait vu des images sur le papier. Mais les
images ne peuvent pas du tout représenter le monstre
qu'il est. Avant tout, il leur manque le bruit et la
fureur de ces masses d'eau en travail, le plus
impressionnant. La tempête, elle sait ce que c'est.
Combien de fois a-t-elle lutté contre les vents sauvages en revenant des métairies de son canton ! Mais au
moins la terre était ferme sous ses pieds, sa masure de
pierre inébranlable. Elle croyait les bateaux de pêche
plus grands, sur la foi des images qui ne montrent
jamais qu'un tout petit peu d'océan autour d'eux.
Ainsi l'*Herbe d'Or* est cette coquille de bois, tirée par
un pan de toile grise tenu par une perche et luttant à
la fois contre le déchaînement des vagues et les
assauts du ciel ! La voilà qui disparaît complètement
dans un creux. Va-t-elle remonter ? Elle remonte,
mais avec tant de peine, apparemment, que le cœur

vous cloche dans la poitrine. Et pourtant la grande tourmente est passée. Hélèna a pu voir une partie de ses ravages. Assez pour faire monter en elle une peur qu'elle n'a jamais connue. A cause de son ignorance, elle a pu parler aux autres, toute la soirée, avec cette sérénité qui leur a fait si grande impression. Tant mieux, mais elle ne pourrait plus.

— Est-ce qu'on s'habitue, Marie-Jeanne?

— S'habituer! Dans la belle saison, ce damné océan peut rester des semaines et même des mois sans se fâcher. Il fait le beau, le joli cœur. Gardez-vous de lui faire confiance. Il entre de nouveau en fureur sans prévenir souvent et c'est l'enfer. Mieux vaut ne pas s'habituer.

— Et les hommes?

— Les hommes sont les hommes. Et ceux de l'*Herbe d'Or* sont les pires de tous. Il faut les laisser faire.

L'*Herbe d'Or* est maintenant à l'abri de la jetée. Il arrive lentement en rasant le rempart de pierre au plus près. Telle est la hauteur de la marée que les femmes ne peuvent en voir que le haut du taille-vent, à moins de s'approcher du bord. Marie-Jeanne ne bouge pas, les autres non plus. Laisser les hommes faire. La voile s'affaisse le long du mât qui se balance, nu. Ils s'apprêtent à escalader les barreaux de fer, scellés aux flancs de la jetée. La première main qui apparaît, une petite main, tient un harmonica. Presque aussitôt, le mousse Herri est à quatre pattes sur les pierres, en train de reprendre ses esprits. La grande femme noire, sa mère, Fant, se précipite pour le relever. Elle lui met autour des épaules une couverture qu'elle tenait contre son ventre et l'emporte sans un mot.

— Attendez-nous, crie Lina Kersaudy. Venez

chez moi tous les deux. Il fait chaud. Il y a tout ce qu'il faut à manger. C'est la fête de Noël. Fant fait un grand geste de refus. Son fils s'est dégagé. Il s'éloigne devant elle en jouant de son harmonica, tout heureux. Il a retrouvé exactement l'air de Pierre Goazcoz.

C'est Alain Douguet qui remonte après le mousse. La moitié de son corps est visible quand il s'arrête, les deux mains fermées sur le premier barreau. Il hésite, ne sait pas quelle contenance prendre. Sa mère vient à son secours et de belle façon.

— Allons, Douguet, pressez-vous un peu! Vous nous avez fait attendre assez longtemps. Je sais bien que vous avez pris un fameux coup de torchon, mais ici nous n'étions pas à la noce non plus. Vous verrez ça demain. Pour le moment, nous devons aller chez Lich Mallégol pour arranger cette affaire qui a risqué de tourner mal vous savez quand. Et pourquoi? Parce que vous n'avez pas plus de patience que votre père. Lina Kersaudy vous dira le reste. En route!

— Il faudrait attendre les autres, hasarde Alain Douguet, timidement.

Il aimerait bien que les autres soient autour de lui, entre lui et Lina Kersaudy. Comment fera-t-il pour rester tout seul avec elle après ce qui s'est passé? Sa mère est déjà partie. Lina lui prend la main d'autorité.

— Venez, Alain Douguet. Nous avons déjà trois semaines de retard. Les autres savent qu'ils seront les bienvenus chez Lich Mallégol. Ils connaissent le chemin.

— Vous m'avez fait un peu peur, matelot, dit Hélèna Morvan à Corentin Roparz qui se tient devant elle, tout embarrassé de sa personne.

— C'est la dernière fois, Hélèna. Je vais aller vivre chez vous.

La troisième volée de cloches éclate, impérative, à l'église du bourg. Les retardataires feraient bien de se hâter s'ils veulent arriver avant le « tint » précipité de la petite cloche qui marque le vrai commencement de la messe de minuit. Les deux époux ont promis d'y être. Ils y seront.

Sur la jetée il n'y a plus que le vieux Nonna, debout auprès de sa lanterne-tempête qu'il a déposée à ses pieds. On l'a oublié. Ne l'aurait-on pas oublié qu'il serait resté quand même jusqu'à ce que l'*Herbe d'Or* ait rendu tout son monde. Mais les deux hommes qui viennent de partir n'ont-ils pas fait exprès de l'oublier là ? Ils ne manquent jamais de lui adresser quelques mots quand ils débarquent. Cette nuit, c'est certain, ils sont préoccupés. Que font donc les deux autres ? Il faudrait aller y voir, mais Nonna sait bien que les marins ne sont disponibles que lorsqu'ils en ont fini avec leur petit ménage de bord. Et c'est à Pierre Goazcoz de débarquer le dernier.

Enfin paraît Yann Quéré. Comme il est souple, ce paysan ! Il bondit sur la chaussée en prenant appui sur une main. Quand il s'est redressé, il enlève sa casquette pour se passer la main dans les cheveux et la remet. Il va tout droit sur Nonna Kerouédan.

— Alors, voilà !

Il frappe l'un contre l'autre ses deux poings fermés. Il a quelque chose à dire qui le met très mal à l'aise. Le vieux Nonna se sent faiblir. Le maître de l'*Herbe d'Or* aurait-il été enlevé par une lame ? Pourquoi lui et aucun des autres ?

— Où est Pierre Goazcoz ?

Yann Quéré retrouve les mots du vieux vocabulaire.

— Pierre Goazcoz est dans les Joies. Il était au bout de son rouleau. Ses reliques sont au fond de la barque. J'ai pensé que c'était à toi de l'ensevelir.

Les yeux de terre humide du paysan fixent les yeux bleus qui ne cillent pas. La plante Alleluia et l'Herbe d'Or sont face à face.

— Tu as bien fait. Aide-moi à descendre.

Mais il n'a pas besoin d'être aidé. Il a retrouvé tant d'énergie qu'il s'affale dans le bateau presque aussi adroitement que dans sa jeunesse. A peine s'il a un regard pour la dépouille que Yann Quéré a enveloppée de son mieux dans le prélart. Elle baigne déjà dans une épaisseur d'eau d'un bon travers de main. Un cercueil sans couvercle et pourri du fond.

— Est-ce que tu pourras sortir ?

Yann Quéré est à genoux sur la chaussée. Il regarde Nonna Kerouédan qui s'affaire habilement pour équiper la voile. Une terrible envie le prend de sauter dans l'*Herbe d'Or* et d'aller se perdre avec le vieux. Voilà qui réglerait tout. Mais il doit laisser ces deux-là en tête à tête pour leur dernière navigation.

— Avec le vent qu'il fait, lui crie le vieil homme d'une voix joyeuse, il est plus facile pour moi de sortir qu'il n'était pour vous de rentrer.

— Adieu, Ton Nonna !

— Adieu, fils !

Yann Quéré se relève. Il voit qu'il est possible, avec un peu de mal, de passer par la brèche et de gagner l'extrême bout de la jetée. Il y est à peine arrivé que l'*Herbe d'Or* se présente à la sortie. Le vent, qui n'a cessé de forcir, a enfin trouvé son bon lit. Il commence à jouer de ses grandes orgues. Pas assez fort pour couvrir les bordées d'injures que Nonna Kerouédan clame de toutes ses forces, comme la Diablesse autrefois, avant de disparaître, aspiré par le large.

C'est fini. Qu'est-ce qui est fini ? C'est fini pour Corentin Roparz qui va se retirer dans la montagne. Il ne lui sera pas difficile de trouver la paix auprès d'Hélèna Morvan. Fini aussi pour Alain Douguet si sa mère et Lina Kersaudy savent bien s'y prendre. Il achètera peut-être un bateau à moteur — ce n'est pas sûr — et ensuite il vendra le poisson pêché par les autres à moins qu'il n'achète l'usine — il aura de quoi — ou qu'il ne finisse en patron d'hôtel sous les ordres de sa femme. Pour le mousse, il faut attendre, il y a des graines qui ne lèvent jamais. Quant à lui, Yann Quéré, il est incurable et content de l'être puisque le mal dont il souffre ne l'empêche pas d'aimer la vie et de danser la gavotte des montagnes.

Il n'ira pas chez Lich Mallégol. Il n'a plus rien à voir avec les gens qui y sont rassemblés. Il serait de trop. Il gênerait tous les autres. Qu'ils soient heureux à leurs justes mesures si bonheur il y a. Il doit rester quelque chose à manger dans sa chambre. Un bout de viande et la moitié d'un pain. Si sa chambre est dévastée, il ira réveiller Joz-du-bureau-de-tabac. Ce bon garçon lui trouvera bien de quoi calmer son estomac et une paillasse pour s'étendre pendant un jour ou deux. Et personne ne saura qu'il travaille à dormir sans rêves pendant que le ministre fera son discours. Qu'a-t-il à faire du ministre ! Qu'il aille siffler aux merles dans l'eau courante, le ministre.

Et Yann Quéré de siffler lui-même. De siffler quoi ? Cet air que Pierre Goazcoz faisait passer entre ses lèvres quand il prenait le large à la barre de son bateau. Celui que le mousse Herri a retrouvé sur son harmonica. Mais Pierre Goazcoz était seul à savoir que c'était l'air d'une très, très vieille chanson qui commençait comme ceci :

> L'Herbe d'Or a été fauchée
> La brume aussitôt s'est levée
> Bataille !

Achevé d'imprimer en septembre 1982
sur presse CAMERON
dans les ateliers de la S.E.P.C.
à Saint-Amand-Montrond (Cher)
pour Julliard,
éditeur à Paris

N° d'Édition : 4658. N° d'Impression : 1401.
Dépôt légal : septembre 1982.

Imprimé en France